COMMENT FAIRE
DU BON VIN CHEZ SOI

DU MÊME AUTEUR

La Bière. Saint-Laurent, Éditions du Trécarré, 1983. *Épuisé.*

Comment faire de la bonne bière chez soi, Saint-Laurent, Éditions du Trécarré, 2e édition, 1986.

COMMENT FAIRE
DU BON VIN CHEZ SOI

Jean-François Simard

Éditions du Trécarré

Données de catalogage avant publication (Canada)

Simard, Jean-François
Comment faire du bon vin chez soi
Comprend un index.
2-89249-176-2
1. Vins et vinification — Manuels d'amateurs.   I. Titre.
TP548.2.F55 1986   641.8'72   C86-096289-X

Réimpression, avec légères modifications, de l'édition de 1986.

Conception de la couverture: Martin Dufour

Photocomposition et montage: Édipro ltée

Photographie de la couverture : Grappe de raisin (cépage Grenache). Firme SOPEXA.

Sauf celle de la p. 166, les photographies sont de: Claude Bureau et associées, Québec.

Les Éditions du Trécarré remercient le directeur de la revue *Vins & Vignes* de leur avoir accordé le droit d'utiliser la fiche de dégustation destinée à ses lecteurs.

ISBN 2-89249-176-2

Dépôt légal — 3ᵉ trimestre 1986
Bibliothèque nationale du Québec

Imprimé au Canada

Éditions du Trécarré
Saint-Laurent (Québec) Canada

REMERCIEMENTS

J'aimerais exprimer ici ma vive reconnaissance à Pierre Amiot pour ses commentaires avertis de fin dégustateur.

J.-F. Simard

TABLE DES MATIÈRES

11

INTRODUCTION

Faire son vin chez soi est devenu un loisir à la portée de tous avec l'apparition, sur le marché, de concentrés de jus de raisin faciles à utiliser et qui, en outre, simplifient énormément la fabrication du vin tout en minimisant les risques d'échec.

En plus d'aborder les méthodes de fabrication du vin à partir de concentrés de jus de raisin, cet ouvrage traite aussi de la vinification à partir de raisins frais.

Notre but est de fournir à l'amateur désireux de faire son vin une connaissance de base des ingrédients, des techniques et du matériel utilisés pour faire chez soi un vin de qualité comparable à celui qui est vendu dans le commerce et ce, à un coût beaucoup moindre.

Il existe deux grandes écoles de fabricants amateurs de vins selon que l'ingrédient de base utilisé est le raisin frais ou le concentré de jus de raisin. La méthode recommandée dans ce livre destiné aux débutants fait appel à l'utilisation de concentrés de jus de raisin pour la fabrication de vins de table, blancs ou rouges. Nous croyons que ce n'est qu'après avoir fait quelques recettes de ce type que l'amateur pourrait essayer de faire son vin directement à partir de raisins. Nous n'aborderons donc ce deuxième procédé qu'en dernier lieu.

Après avoir réussi à faire leur vin en utilisant des concentrés, certains préfèrent s'en tenir à cette méthode plutôt que de se lancer dans la fabrication à base de raisins. D'autres, par contre, ne jurent que par le vin fait de raisins frais.

Mais peu importe la méthode retenue, tous s'entendent sur l'objectif final : réussir une bonne cuvée et déguster quelques bonnes bouteilles...

I

LE VIN : SA FABRICATION
ET SES PROPRIÉTÉS

Par définition, le vin est une boisson alcoolique fermentée faite à partir de raisins. Il est possible de faire fermenter n'importe quel jus de fruit; on parlera alors de vins de fruits pour distinguer ces vins du vin de raisin qui est le vin véritable.

Nous traiterons dans cet ouvrage de la fabrication du vin fait à partir de concentrés de jus de raisin et du vin fait de raisin.

La façon la plus simple d'obtenir un bon vin de table, rouge ou blanc, est d'utiliser un concentré de jus de raisin et c'est la méthode que nous préconisons pour les débutants, d'abord à cause de sa simplicité et ensuite parce qu'elle réduit les possibilités d'échec.

Dans ce chapitre, nous examinerons les méthodes commerciales de fabrication du vin ainsi que ses différentes caractéristiques et propriétés, afin de bien connaître le produit que nous allons fabriquer et déguster.

1. VIGNES ET CÉPAGES

La vigne européenne

Il existe plusieurs espèces de vignes; la plus connue est la vigne européenne (dont le nom scientifique est: *Vitis vinifera*). Cultivée en Europe depuis des millénaires, c'est de cette espèce que proviennent tous les grands cépages. On donne le nom de cépage à une variété donnée de raisins. Il existe des centaines de variétés de vignes (cépages) appartenant à l'espèce *Vitis vinifera*.

On parle de cépage blanc ou de cépage noir selon la couleur des raisins produits. Les raisins à vin blanc sont jaunes ou verts, alors que les raisins à vin rouge vont du rouge au noir, en passant par le bleu foncé. Les cépages blancs les plus connus sont le Sauvignon, le Riesling, le Chenin blanc, le Muscat, le Chardonnay et le Gewurtztraminer. Parmi les cépages noirs, citons le Cabernet-Sauvignon, le Gamay, le Grenache, le Merlot, le Zinfandel, le Pinot noir, l'Alicante et la Syrah.

On doit noter cependant que les cépages européens ne sont pas cultivés uniquement en Europe. On les retrouve aujourd'hui en Australie, en Californie, en Afrique du Sud, bref partout dans le monde où ils ont pu s'adapter aux conditions climatiques. Ainsi le dernier cépage mentionné, la Syrah, qui est utilisé en France pour produire les meilleurs Côtes du Rhône, se retrouve en Australie sous le nom de Shiraz. Est-ce à dire que l'on doive s'attendre à ce que les vins australiens faits de ce cépage aient le même goût que les Côtes du Rhône? C'est peu probable; la nature du sol, la température, l'ensoleillement et des méthodes de culture différentes font que le vin obtenu aura des caractéristiques différentes. Attention! nous avons dit *différentes*, et non inférieures nécessairement. Ainsi, le Zinfandel cultivé en

Californie a acquis sur ce nouveau terroir des lettres de noblesse que son ancêtre italien le Primitivo n'a jamais eues en Italie.

Les vignes américaines

Lorsque les Européens débarquèrent en Amérique, ils trouvèrent sur ce continent de nouvelles espèces de vignes. À partir de l'une de ces espèces indigènes américaines (*Vitis labrusca*), de nombreuses variétés de raisins ont été développées, le plus connu de ces cépages étant sans doute le Concord. Les cépages dérivés des deux principales espèces de vignes américaines, *Vitis labrusca* et *Vitis rotundifolia*, conviennent cependant moins bien pour la fabrication du vin que les cépages issus de la vigne européenne.

Les cépages hybrides

Comme les variétés de vignes européennes présentent des qualités jugées avantageuses pour ce qui est de la qualité des raisins, alors que les variétés de vignes américaines produisent des raisins qui résistent bien à certaines maladies ainsi qu'au climat froid et humide prévalant en Amérique, on a rapidement songé à faire des croisements entre ces deux espèces de vignes de façon à produire de nouveaux cépages, appelés hybrides, qui réunissent les qualités particulières aux deux espèces originales.

Les cépages hybrides, mieux adaptés au climat nord-américain, peuvent être cultivés hors de la Californie ; ils poussent bien dans l'est des États-Unis, ainsi que dans la région du Niagara, au Canada. En règle générale, les raisins obtenus ont une teneur en sucre plus faible et un degré d'acidité plus élevé que les raisins issus des cépages européens cultivés en Californie.

2. LA FABRICATION DU VIN

Les méthodes utilisées pour la fabrication du vin diffèrent selon que l'on désire fabriquer un vin rouge ou un vin blanc. On parlera alors de vinification en rouge ou de vinification en blanc. Dans les deux cas, le raisin récolté lors des vendanges est d'abord foulé ou écrasé de façon à briser la peau et la pulpe et à libérer le jus qu'il contient. Ensuite, le processus sera différent selon qu'il s'agit de vin rouge ou de vin blanc.

La vinification en blanc

Si l'on désire fabriquer un vin blanc, les raisins écrasés sont pressés immédiatement afin d'en extraire le jus. On donne le nom de moût à ce jus de raisin qui sera fermenté sous l'action de levures. On notera que le vin blanc n'est pas fait nécessairement avec du raisin blanc; il l'est parfois à partir de raisins noirs, car, habituellement, seule la peau d'un raisin noir est colorée, alors que la pulpe ou l'intérieur du raisin ne l'est pas. Si l'on presse les raisins immédiatement après le foulage, le jus obtenu sera blanc et donnera, après fermentation, un vin blanc.

On vérifie ensuite si le moût contient suffisamment de sucre et s'il est suffisamment acide. On corrige s'il y a lieu. La quantité de sucre contenue dans le raisin peut varier d'une année à l'autre en fonction des conditions météorologiques. Il en va de même du degré d'acidité.

Ensuite, on ajoute des levures et la fermentation débute. Comme nous le verrons en détail au chapitre suivant, la fermentation est un processus biologique au cours duquel des microorganismes vivants, les levures, transforment en alcool le sucre contenu dans le moût.

La vinification en rouge ou en rosé

Si l'on désire fabriquer un vin rouge, les raisins sont foulés comme pour le vin blanc. Cependant, ils ne sont pas pressés immédiatement : on fait fermenter ensemble le jus, la pulpe et les peaux durant plusieurs jours. Au cours de cette fermentation, les peaux donneront leur couleur au moût. Les pigments colorés contenus dans les peaux éclatées lors du foulage envahiront le moût qui prendra alors une couleur rouge plus ou moins foncée selon que l'on le laissera en contact plus ou moins longtemps avec les peaux. La présence d'alcool dans le moût contribue à accélérer ce phénomène. Une journée de fermentation avec les peaux donnera un vin rosé, trois ou quatre jours, un vin rouge léger et une semaine, un vin rouge foncé.

Lorsque le moût est suffisamment coloré, le jus est soutiré et l'amas de peaux et de pulpes est passé au pressoir afin d'en extraire tout le jus. On laisse ensuite la fermentation suivre son cours.

Les vins pétillants

La fabrication des vins pétillants se fait de la façon suivante. On fabrique tout d'abord un vin de table sec, blanc ou rosé, auquel on ajoute, lors de l'embouteillage, une faible quantité de sucre. La fermentation reprendra alors dans les bouteilles et les levures transformeront le sucre en alcool et en gaz carbonique. Mais, comme les bouteilles sont bouchées, le gaz carbonique ne peut s'échapper, demeure dans la bouteille et rend ainsi le vin pétillant. La production de gaz carbonique lors de la fermentation sera exposée dans le prochain chapitre.

De nos jours, seuls le champagne et quelques vins pétillants de grande qualité sont encore fabriqués selon cette méthode. Les autres vins pétillants sont, la plupart du temps, fermentés dans d'immenses cuves pressurisées faites en acier inoxydable.

3. LES PROPRIÉTÉS DU VIN

La dégustation ou l'appréciation du vin fait appel à plusieurs sens : la vue, l'odorat, le goût et le toucher. Toute dégustation comprend trois phases :

a) une phase visuelle,

b) une phase olfactive,

c) une phase gustative et tactile, où entrent en jeu à la fois le goût et le toucher.

Nous indiquons plus loin la marche à suivre lors de la dégustation d'un vin. Nous tenterons d'éviter les fioritures de style et l'incontinence verbale souvent associées à cette activité qui mérite d'être démystifiée, car elle est généralement teintée de snobisme.

La section qui suit est consacrée aux propriétés organoleptiques du vin ; le terme *organoleptique* couvre l'ensemble des sensations perçues lors de la dégustation d'un vin, en particulier les sensations olfactives, gustatives et tactiles.

Les sensations olfactives

Lors de la dégustation d'un vin, non seulement le goût mais aussi l'odorat y participent. En effet, les sensations olfactives sont presque aussi importantes que les sensations gustatives. Alors que le goût ne reconnaît que quatre saveurs (sucré, salé, acide, amer), l'odorat, lui, peut identifier un très grand nombre d'arômes. Les cellules sensorielles situées dans les fosses nasales discernent des milliers d'odeurs. Ces cellules réagissent à la présence de molécules de substances volatiles qui s'échappent du vin dans l'air pour entrer ensuite en contact avec elles lorsque cet air est inspiré.

En parlant des diverses odeurs qu'exhale un vin, on distingue l'arôme et le bouquet. L'arôme d'un vin provient du fruit ou s'est développé lors des transformations qui ont lieu lors de la fermentation. L'arôme est donc caractéristique d'un vin jeune. Le bouquet d'un vin se caractérise par les odeurs qui se sont développées lors du vieillissement en bouteilles. À mesure qu'un vin vieillit, son arôme s'atténue, alors que son bouquet se développe.

Les sensations gustatives

Les papilles gustatives de l'être humain sont aptes à distinguer quatre saveurs différentes :

a) le sucré,

b) le salé,

c) l'acide,

d) l'amer.

Dans la bouche, les perceptions de ces saveurs sont réparties en des zones sensorielles précises. Le sucré est perçu à la pointe de la langue ; le salé l'est latéralement et un peu plus à l'arrière de la langue ; l'acidité, sur les côtés ; et enfin l'amertume, à l'arrière de la langue.

Lors de la dégustation, on exploitera les capacités de ces zones sensorielles ; en faisant circuler le vin de l'avant de la bouche vers l'arrière, on percevra d'abord les substances sucrées, ensuite l'acidité et enfin les substances amères. Il est surprenant de constater que la quantité quasi infinie de goûts que peut percevoir le palais est une combinaison de quatre saveurs de base, présentes dans des proportions différentes.

Les sensations tactiles

Outre ces quatre saveurs de base, les muqueuses de la bouche sont capables de percevoir d'autres sensations :

a) sensation d'astringence due au tanin ; elle se caractérise par la contraction des muqueuses de la bouche;

b) sensation de chaleur, caractéristique de la présence d'alcool ;

c) sensation de picotement due à la présence de gaz carbonique ;

d) sensation reliée à la consistance du vin (mince ou épais).

La présence dans le vin d'un alcool supérieur appelé glycérine joue un rôle fondamental en rapport avec cette dernière sensation ; en effet, bien des vins dits moelleux contiennent une part relativement importante de glycérine.

Ces sensations, quoique perçues dans la bouche, sont des sensations tactiles (reliées au sens du toucher) et non gustatives (reliées à la perception des quatre saveurs élémentaires).

4. LA COMPOSITION DU VIN

Rassurez-vous, nous n'allons pas vous donner la liste détaillée des centaines de composés organiques complexes susceptibles de se retrouver dans un vin. Nous allons cependant en identifier les principaux composés et voir comment ils contribuent aux propriétés organoleptiques du vin.

Par exemple, les principaux éléments entrant dans la composition d'un litre de vin rouge typique pourraient être les suivants :

Composés	Poids en grammes
Eau	860
Alcool	100
Acides organiques	5
Glycérine	5
Tanin	2
Sucre	2
Sels minéraux	2
Autres	—

Un vin sera dit équilibré si les proportions de ces divers constituants de base sont respectées. Examinons maintenant le rôle de chacune de ces substances sur les qualités du vin.

L'eau

L'eau contribue peu aux propriétés organoleptiques du vin; elle agit cependant comme support ou comme milieu où se retrouvent dilués l'alcool, les acides organiques, le tanin et tous les autres constituants du vin.
Cependant, si la proportion d'eau est trop forte par rapport aux autres composants, on obtiendra un vin mince, sans corps, qui donnera l'impression d'avoir été dilué.

L'alcool

Un vin de table contient habituellement de 10 à 12% d'alcool en volume. À titre de comparaison, les alcools distillés, tel le cognac, peuvent en contenir jusqu'à 45%, alors que la bière en renferme environ 5%.

L'alcool contenu dans le vin est principalement l'alcool éthylique, mais on y retrouve aussi d'autres alcools, dits supérieurs.

L'apport de l'alcool aux propriétés organoleptiques du vin est importante; il est responsable de la sensation de chaleur perçue par les muqueuses de la bouche; il contribue aussi en partie au goût sucré (doux) du vin.

Les acides organiques

Trois des principaux acides organiques contenus dans le vin sont présents dans le raisin: les acides malique, tartrique et citrique. Les autres, qui sont les acides succinique, lactique et acétique, sont formés lors de la fermentation.

La glycérine

Parmi les alcools supérieurs mentionnés plus haut, un seul a une importance marquée, la glycérine. À l'état pur, elle se présente sous forme d'un liquide épais et sirupeux; à la dégustation, son goût sucré ne peut cependant être confondu avec celui d'un sirop de sucre, en raison de la sensation de chaleur que la glycérine provoque à l'intérieur de la touche.

Le tanin

Le tanin est une substance au goût amer et aux propriétés astringentes; contenu dans le raisin, il se retrouve dans le vin à la fin de la fermentation. Pour être plus précis, disons que l'on regroupe sous le nom de tanin toute une famille de substances organiques complexes.

Le sucre

La plus grande partie du sucre contenu dans le raisin est transformée en alcool lors de la fermentation; cependant, même dans les vins secs, il en subsiste parfois de 1 à 2%.

Les sels minéraux et les autres composés

Le vin contient aussi des sels minéraux et des centaines d'autres composés organiques complexes qui, bien qu'à l'état de traces, ont un rôle important. Signalons entre autres les composés aromatiques qui donnent son bouquet au vin et divers pigments qui lui donnent sa couleur, deux de ses caractéristiques les plus marquantes.

5. LA DÉGUSTATION DES VINS

Savoir déguster un vin est un art subtil et fort agréable. Pour le fabricant amateur, elle revêt une importance particulière; en effet, il ne s'agit pas seulement de déterminer si le vin dégusté est acceptable, mais encore de voir quels en sont les défauts, à quoi ils sont attribuables et comment les éliminer la prochaine fois. Pour lui, la dégustation ne se fait pas seulement à table, mais doit s'opérer à tout moment au cours de la fermentation. Le vin est-il prêt à boire ou bénéficierait-il d'une plus longue période de vieillissement en bouteilles? Le vin est-il suffisamment acide ou une addition d'acide tartrique serait-elle souhaitable? La couleur, par sa teinte violacée, indique-t-elle que l'on a affaire à un vin jeune? Sa teinte tuilée est-elle signe d'un vieillissement trop poussé? Autant de questions auxquelles le fabricant amateur doit pouvoir répondre.

Comme nous l'avons vu précédemment, la dégustation du vin comprend trois phases:

a) une phase visuelle;

b) une phase olfactive;

c) une phase gustative et tactile, où entrent en jeu à la fois le goût et le toucher.

La phase visuelle

1° Remplir le verre au tiers de sa capacité.

2° Le tenir par le pied, pour éviter de le réchauffer ou de cacher la lumière.

3° Examiner le vin soit par le dessus ou le côté.

La première particularité à observer lors de l'examen visuel d'un vin est sa couleur ou robe :

• *vins blancs* : la couleur va du jaune-vert (signe de jeunesse) au jaune-brun (signe de vieillesse), en passant par les diverses nuances de jaune, à savoir serin, paille et doré ;

• *vins rouges* : la couleur va du rouge violet (signe de jeunesse) au rouge brun (signe de vieillesse), en passant par les diverses nuances de rouge, à savoir rubis, pourpre et tuilé.

Avec les années, les vins, blancs ou rouges, ont tendance à brunir. Cependant il peut arriver qu'un vin, même jeune, présente une telle teinte ; c'est un défaut majeur dû à l'utilisation, à l'origine, d'ingrédients de piètre qualité (mauvais concentré de jus de raisin) ou à des techniques de vinification malhabiles.

La seconde particularité à examiner est la limpidité du vin. Le vin doit être bien clarifié, sans pour autant avoir la limpidité du cristal. Certains vins attaqués par des bactéries ont un aspect trouble ; c'est ainsi que la limpidité est devenue un signe de qualité pour les vins commerciaux souvent clarifiés à grand renfort de produits chimiques.

Si de légères bulles de gaz carbonique se forment sur les parois du verre, c'est signe que la fermentation n'est pas terminée et que le vin a été embouteillé trop tôt.

Si l'on incline le verre afin de mouiller la paroi et que le vin y adhère d'abord pour ensuite former de minces filets qui coulent le long de la paroi intérieure du verre, on dit que le vin a de la jambe. Ce phénomène présage d'un vin habituellement riche en alcool et vraisemblablement en glycérine.

La phase olfactive

À ce moment-ci, l'odorat entre en jeu. L'examen olfactif se fait habituellement de la façon suivante :

● Portez le verre à hauteur du nez et humez le vin sans l'agiter. Seuls les composés les plus aromatiques se manifesteront à ce stade.

● Faites tourner le vin dans le verre en imprimant à ce dernier un léger mouvement de rotation. Cette agitation légère favorise l'émanation des composés aromatiques.

● Faites tourner à nouveau le vin, puis brusquez-le, c'est-à-dire mettez fin brusquement à son mouvement circulaire en tentant de lui imprimer un mouvement contraire.

Cet examen vous permettra de savoir, avec de la pratique, si vous avez affaire à un vin jeune présentant l'arôme caractéristique du cépage dont il est issu ou à un vin vieilli plus longtemps et dont le bouquet est plus complexe.

La phase gustative et tactile

L'examen gustatif se fait de la façon suivante :

● Prenez une gorgée de vin.

● Baissez la tête, puis en ouvrant légèrement la bouche comme pour siffler, aspirez de l'air. La langue doit appuyer sur les lèvres, de façon à empêcher le vin de sortir de la bouche lorsqu'on aura fini d'aspirer.

• Expirez par le nez, de façon à ce que les odeurs remontent vers le haut du palais.

• Faites rouler la gorgée de vin partout dans la bouche, puis avalez.

Cette opération doit avoir pour but ultime de répondre aux questions suivantes :

1° La pointe de la langue a-t-elle détecté un goût sucré dû à la présence de sucre résiduel, de glycérine ou d'alcool (sensation gustative) ?

2° Est-on en présence d'un vin fortement ou faiblement acide, présence détectée sur les bords de la langue (sensation gustative) ?

3° A-t-on perçu une certaine amertume à l'arrière de la langue, amertume caractéristique des vins riches en tanin (sensation gustative) ?

4° Sommes-nous en présence d'un vin moelleux et onctueux ou d'un vin léger et aqueux (sensation tactile) ?

5° Est-ce un vin astringent où la présence de tanin provoque une contraction des muqueuses de la bouche (sensation tactile) ?

6° A-t-on perçu une sensation d'échauffement due à une forte teneur en alcool (sensation tactile) ?

7° A-t-on perçu la présence de gaz carbonique identifiable par un léger picotement sur la langue (sensation tactile) ?

L'équilibre, qualité première d'un vin

Un bon vin est un vin harmonieux, harmonie qui tient à l'équilibre entre les diverses substances qui le composent. Émile Peynaud, œnologue français de renom et auteur d'un ouvrage de vulgarisation sur la fabrication du vin intitulé *Connaissance et travail du vin,* a traité de ce sujet en détail et nous reprendrons ici l'essentiel de son propos.

Dans tous les vins bien réussis, il doit y avoir un équilibre entre d'une part les substances à goût sucré (alcool et sucres résiduels) et d'autre part les substances à goûts acide et amer (acides organiques et tanins).

Goût sucré = goût acide + goût amer

Cette équation décrit de façon schématique la notion d'équilibre.

Les considérations suivantes entrent en jeu lors de la dégustation d'un vin :

• L'alcool a un goût sucré et, de plus, renforce le goût du sucre déjà présent dans le vin.

• Les goûts sucrés et les goûts acides s'annulent mutuellement. L'addition de sucre à un jus de citron pour le rendre moins acide en est un exemple.

• Les goûts sucrés et les goûts amers s'annulent aussi mutuellement.

Ainsi, les vins blancs du Rhin souvent agréables à boire seuls, sont plus acides que les vins rouges, mais leur acidité est masquée par une teneur en sucres résiduels relativement élevée.

Un vin rouge, par contre, plus riche en tanin (donc plus amer), devra contenir moins d'acides organiques, puisque le goût amer du tanin s'ajoute au goût des acides et le renforce.

6. COMMENT SERVIR LE VIN

La température

La première question qui se pose lorsque l'on veut servir un vin est celle de la température à

Verre à dégustation classique. Le verre à dégustation ne doit être rempli qu'au tiers.

laquelle il doit être bu. Nous recommandons les températures suivantes :

> Vin de table rouge : 18 °C (65 °F)
>
> Vin de table blanc : 10 °C (50 °F)
>
> Vin mousseux : 5 °C (40 °F)

Cela signifie que, durant l'été, même les vins rouges seront refroidis. Certains ouvrages d'œnologie recommandent des températures de 15 °C (60 °F) pour les vins rouges, mais la majorité des gens préfèrent une température plus élevée, environ 18 °C (65 °F).

Les verres

Il existe une grande variété de verres à vin ; nous ne parlerons ici que d'un seul, le verre à dégustation classique. Conçu pour faciliter l'appréciation des qualités d'un vin plutôt que pour être élégant ou original, il sert à la dégustation des vins blancs comme à celle des vins rouges.

Monté sur un pied assez court, ce verre a la forme d'une tulipe allongée. La coupe est légèrement refermée de façon à conserver les odeurs ; un tel verre permet au bouquet de se concentrer dans l'espace libre au dessus de la surface du vin ; cette caractéristique est importante pour l'examen olfactif. Fait de verre clair, uni et mince, ou, de préférence, de cristal, il facilite l'examen visuel du vin.

Il est important de toujours utiliser le même type de verre pour déguster plusieurs vins. On ne peut véritablement comparer différentes couleurs que si l'on regarde toujours à travers la même épaisseur de vin. Cette précaution vaut aussi pour le bouquet : il faut toujours utiliser un verre de même forme ; une coupe fermée contribue à conserver le bouquet, alors qu'une coupe évasée le fait se dissiper trop rapidement.

31

En résumé, l'œnophile pourra utiliser le type de verre qu'il préfère, à condition que ses caractéristiques se rapprochent de celles énoncées précédemment pour les verres à dégustation et qu'il utilise toujours le même type de verre pour la dégustation.

On doit éviter à tout prix, cependant, les verres colorés, les verres à motif ou les verres taillés, ainsi que les coupes trop évasées de type coupe à champagne, car le bouquet s'en échappe trop vite. Pour le champagne, on choisira de préférence la flûte; enfin, les taste-vins sont à déconseiller, car leur forme en soucoupe disperse le bouquet.

Certains lecteurs seront surpris de voir ce petit objet si amusant qu'est le taste-vin classé parmi les articles à bannir, mais c'est ainsi. Le taste-vin sert à regarder le vin plutôt qu'à le goûter; sa forme particulière lui permet de réfléchir la lumière, mais il ne convient nullement à l'appréciation du goût ou du bouquet.

II

LA FABRICATION DOMESTIQUE
DU VIN

Alors que le premier chapitre traitait de façon générale de la fabrication du vin et de ses propriétés, celui-ci décrit les méthodes utilisées pour fabriquer du vin chez soi. Les principes sont les mêmes et tout ce qui a été dit demeure valable, mais les modalités et les techniques utilisées varient.

La fabrication domestique du vin comprend les étapes suivantes :

a) la préparation du moût ;

b) la fermentation principale ;

c) le soutirage et l'ouillage ;

d) la fermentation secondaire ;

e) la maturation ;

f) le vieillissement.

Chacune de ces étapes fait l'objet d'une section du chapitre II.

1. VOTRE PREMIÈRE CUVÉE

Si vous êtes impatient de commencer à faire du vin, nous vous suggérons d'essayer la recette simple donnée ci-dessous. Elle vous permettra de fabriquer quatre à cinq litres (1 gallon) de vin avec un minimum d'effort et de matériel. Vous saurez ensuite si ce loisir vous intéresse ou non. Dans l'affirmative, vous pourrez alors acquérir de l'équipement supplémentaire. Si vous ratez cette recette, ce qui est peu probable, vous n'y aurez investi que quelques dollars et un peu de temps.

Vous pouvez vous procurer les ingrédients nécessaires, en particulier le concentré de jus de raisin et la levure à vin, dans l'une des boutiques spécialisées qui vendent les ingrédients requis pour la fabrication domestique de la bière ou du vin. Ces boutiques sont mentionnées dans votre annuaire téléphonique.

Quel matériel employer? Vous avez probablement chez vous tout ce qui vous sera nécessaire; sinon, vous pourrez acheter à un coût très raisonnable ce qui vous manque.

Cette recette requiert l'achat d'une petite boîte de concentré de jus de raisin d'environ 450 millilitres (16 onces liquides). C'est le plus petit format que l'on puisse trouver sur le marché. Nous disons que cette boîte contient environ 450 millilitres, car les formats de ces boîtes ne sont pas standardisés; de toute façon 50 millilitres (2 onces liquides) de plus ou de moins importent peu. Les boîtes de concentré contiennent environ 3 litres (100 onces liquides) ou la quantité suffisante à la fabrication de 20 litres (4,4 gallons) de vin, mais la plupart des boutiques spécialisées vendent aussi les plus petits formats. Il se peut que le vendeur vous remette, à l'achat de la boîte, un petit sachet contenant divers autres ingrédients ou additifs; vous devrez les ajouter au concentré. Nous reviendrons sur ces ingrédients ou additifs dans les chapitres suivants.

Matériel

a) Contenant en plastique d'environ 7 litres (1,5 gallon) ;

b) Feuille de plastique ou de papier ciré ;

c) Cruche en verre de 4 litres (1 gallon) ;

d) Tube en plastique flexible de 1 mètre (3 pieds) ;

e) 5 bouteilles de 75 centilitres (26 onces liquides) munies de bouchons à visser.

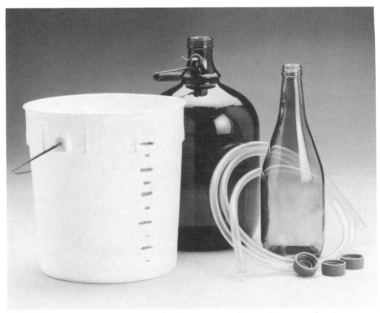

Matériel. Récipient en plastique, cruche, tube en plastique et bouteille.

Ingrédients

a) Jus de raisin concentré   450 ml   16 onces
(1 boîte)   liquides

b)	Sucre	750 ml	3 tasses
c)	Eau	3 litres	12 tasses
d)	Levure à vin	1 sachet	

Méthode de fabrication

1. Verser la boîte de concentré de jus de raisin dans le contenant en plastique. Tout contenant ouvert en plastique non coloré fera l'affaire. Éviter les contenants de métal, exception faite de ceux en acier inoxydable.

Ingrédients. Concentré de jus de raisin, sucre et levure.

2. Y ajouter le sucre et le sachet d'additifs (s'il y a lieu); ensuite, verser l'eau et brasser afin de dissoudre le tout. L'eau doit être à la température de la pièce, c'est-à-dire à 20 °C (68 °F). Utiliser de préférence la quantité de sucre indiquée par le fabricant sur la boîte de concentré, si elle est différente de la quantité prescrite dans cette recette.

3. Ajouter la levure. Couvrir le contenant avec la feuille de plastique ou du papier ciré que vous maintiendrez à l'aide d'une ficelle ou d'un élastique.

4. Laisser fermenter le moût durant 5 jours. Après une journée, de petites bulles de gaz carbonique devraient apparaître et une couche de mousse devrait commencer à se former à la surface du moût.

5. Après cinq jours, il faut soutirer le vin, c'est-à-dire le transvaser du contenant en plastique à la cruche, en le siphonnant au moyen du tube de plastique et en prenant soin de ne pas agiter le dépôt de levures qui s'est formé au fond du contenant. L'un des buts du soutirage est d'éliminer ce dépôt.

6. Ne pas remplir la cruche complètement afin de laisser place à la mousse qui se formera. Dès que la quantité de mousse diminue, compléter avec de l'eau.

7. Ne pas poser de bouchon sur la cruche; si elle était fermée hermétiquement, elle risquerait d'éclater. Couvrir le goulot de la cruche d'un morceau de papier ciré, ou de pellicule plastique, ou de papier d'aluminium fixé par un élastique.

8. Laisser la fermentation se poursuivre durant 4 semaines à température ambiante. Après cette période, soutirer à nouveau en veillant à ne pas transvaser le dépôt de levures au fond de la cruche. Rincer la cruche et y remettre le vin. Fermer le goulot à l'aide d'un papier ciré.

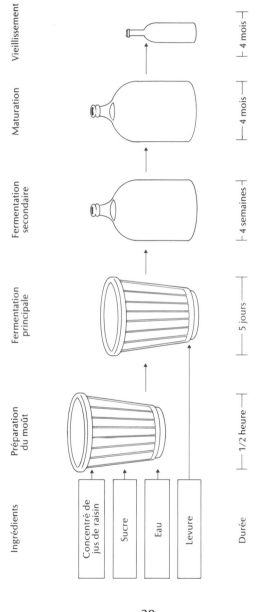

Ingrédients — Préparation du moût — Fermentation principale — Fermentation secondaire — Maturation — Vieillissement

Concentré de jus de raisin

Sucre

Eau

Levure

Durée — 1/2 heure — 5 jours — 4 semaines — 4 mois — 4 mois

FABRICATION DOMESTIQUE DU VIN, À PARTIR DE CONCENTRÉ DE JUS DE RAISIN

38

9. Laisser vieillir quatre mois et embouteiller. À ce moment, la fermentation devrait avoir cessé (il ne restera aucune trace de bulles de gaz carbonique le long des parois de la cruche) et le vin devrait être clarifié. Utiliser le tube de plastique pour transvaser le vin dans les bouteilles. La fermentation étant terminée, on peut fixer les bouchons sur les bouteilles.

10. Laisser les bouteilles au frais, si possible à 15 °C (60 °F), durant quatre mois. Après ce temps, déguster !

Cette première recette devrait vous permettre de vous familiariser avec les différents procédés expliqués dans ce livre et d'expérimenter ce qu'est une fermentation alcoolique.

2. LA PRÉPARATION DU MOÛT

Les méthodes de préparation du moût diffèrent selon que l'ingrédient de base est le raisin ou le concentré de jus de raisin. Cette section traite uniquement des vins faits à partir de concentrés. La fabrication des vins à partir de raisins est expliquée au chapitre IX.

Les concentrés ont rendu possible la fabrication domestique de vins de bonne qualité et ce, avec un minimum d'efforts.

Avec un concentré, le moût est obtenu en diluant tout simplement le concentré avec de l'eau pour reconstituer le jus original. L'amateur inverse ainsi l'opération faite par le fabricant de concentrés. En effet, ces concentrés sont obtenus en enlevant par évaporation l'eau contenue dans le jus de raisin.

On ajoute ensuite du sucre, parfois quelques autres ingrédients, selon la recette du fabricant, et le moût est prêt.

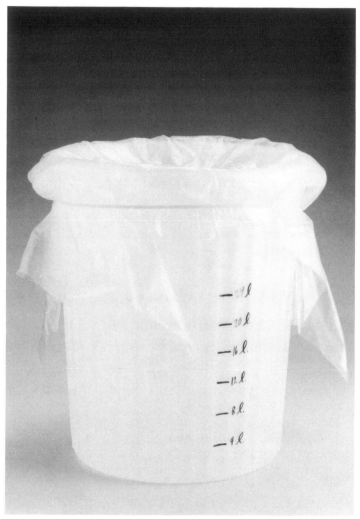

Fermentation principale. Contenant en polyéthylène recouvert d'une feuille de plastique, utilisé lors de la fermentation principale.

3. LA FERMENTATION PRINCIPALE

Une fois le moût préparé, on ajoute les levures. La fermentation débute habituellement en moins de 24 heures. Une légère mousse apparaît à la surface du moût, et quelque temps après, de petites bulles de gaz carbonique, de plus en plus nombreuses, viennent y éclater.

La quantité de mousse à la surface du contenant augmente jusqu'à atteindre environ 8 centimètres (3 pouces) de hauteur. Lorsque la fermentation est très active, aux environs du troisième jour, on peut entendre le moût pétiller. Cette première étape est appelée fermentation principale et dure une semaine environ. C'est la phase la plus active de la fermentation: plus des trois quarts du sucre sont alors transformés en alcool.

La production d'alcool

La fermentation est le résultat de processus biochimiques fort complexes mais, pour l'essentiel, on peut la décrire ainsi: sous l'action des levures, chaque molécule de sucre est transformée en deux molécules d'alcool éthylique et deux molécules de gaz carbonique.

$$SUCRE \longrightarrow ALCOOL + GAZ\ CARBONIQUE$$

Pour chaque gramme de sucre fermenté par les levures on obtient à peu près un demi-gramme d'alcool et un demi-gramme de gaz carbonique. L'alcool demeure dans le vin, alors que le gaz carbonique s'échappe dans l'atmosphère.

Un litre de moût destiné à faire un vin de table normalement alcoolisé contient avant fermentation 25% de sucre, soit 250 grammes qui, après fermentation, donneront 125 grammes d'alcool (soit une teneur en alcool de 12,5%) et 125 grammes de gaz carbonique. Ces proportions sont approximatives; des méthodes plus précises de calcul et de mesure de la teneur en sucre d'un moût ou de la teneur en alcool d'un vin sont données au chapitre VI.

La production de gaz carbonique

Lors de la fermentation, il y a aussi production de gaz carbonique. Ce gaz est le même que celui que l'on ajoute aux diverses boissons gazeuses pour les rendre effervescentes. Or, un gramme de gaz carbonique occupe un volume d'environ un litre à la température de la pièce et à la pression atmosphérique. Donc, si le gaz produit lorsqu'on fait fermenter un litre de moût contenant 25% de sucre ne pouvait s'échapper, il serait comprimé à un point tel qu'il occuperait un volume 125 fois plus petit que la normale; aucun contenant utilisé lors de la fermentation ne pourrait supporter une telle pression sans éclater. C'est pourquoi tous les contenants utilisés à cette fin ne doivent jamais être bouchés hermétiquement, de façon à permettre au gaz carbonique de s'échapper.

La température lors de la fermentation

La température du moût devrait être à ce moment aux alentours de 20°C (68°F). Les levures sont des organismes vivants; une température trop basse ralentira leur action, alors qu'une température trop élevée risque de les tuer. Pour obtenir un vin de bonne qualité, les températures lors de la fermentation doivent se maintenir entre 20°C et 25°C (68°F et 77°F) dans le cas des vins rouges et entre 16°C et 20°C (60°F et 68°F) dans celui des vins blancs.

4. LE SOUTIRAGE ET L'OUILLAGE

Le soutirage

La fermentation principale que nous venons de décrire dure environ une semaine. Après cette période, le taux de fermentation baisse, la quantité de bulles de gaz carbonique émises diminue et on n'entend plus pétiller le moût; c'est le début de la fermentation secondaire. Le vin est alors soutiré (transvasé) du récipient ouvert qui a servi à la fermentation principale à un récipient plus fermé (une cruche par exemple) où se fera la fermentation secondaire qui peut durer de 1 à 3 mois. Après cette période, tout le sucre devrait avoir été transformé en alcool.

Le récipient utilisé (cruche ou autre) ne doit pas être bouché hermétiquement, sinon il exploserait sous la pression du gaz carbonique produit lors de la fermentation.

Ce premier soutirage permet de mettre le vin à l'abri de l'air et de le séparer des levures mortes et autres débris qui se sont accumulés au fond du récipient utilisé pour la fermentation principale. Ce dépôt porte le nom de lie.

L'ouillage

La fermentation principale terminée, on doit laisser, lors du premier soutirage, un espace vide de quelques centimètres au dessus du moût, car de la mousse peut encore se former et la cruche risquerait de déborder; mais aussitôt que la fermentation ralentit, on ajoute du vin ou de l'eau afin de remplir la cruche. À partir de ce moment, les cruches devront toujours être gardées pleines. Cette opération qui consiste à remplir les cruches et à les garder toujours pleines s'appelle l'ouillage. Cette opération doit se renouveler à chaque soutirage ou chaque fois qu'un

43

Fermentation secondaire. Cruche dont le goulot est muni d'une bonde aseptique.

dégustateur impatient prélève une quelconque quantité du vin.

Plus la quantité d'air dans la cruche est grande, plus l'oxydation est forte et plus le vin s'évente. Les risques de contamination par les microorganismes augmentent également. Mieux vaut alors «mettre de l'eau dans son vin» et le diluer que risquer de le perdre. La plupart des microorganismes susceptibles de contaminer le vin ont besoin d'oxygène, donc d'air, pour se développer; ils ne peuvent croître dans une atmosphère composée uniquement de gaz carbonique. Cependant, comme la quantité de gaz carbonique produite diminue à mesure que progresse la fermentation secondaire, les précautions prises doivent augmenter.

Lorsque l'ouillage se fait avec de l'eau, la quantité d'eau utilisée à cette fin doit être minime par rapport à la quantité totale de vin, sans quoi le vin trop dilué deviendrait insipide et sa teneur en alcool trop faible. L'ouillage n'élimine donc pas la nécessité d'utiliser des contenants dont le format soit adapté à la quantité de vin fabriquée.

Si, lors du soutirage, on obtient un excédent de vin après remplissage de la cruche, on le conservera dans un ou plusieurs contenants plus petits afin de s'en servir pour les ouillages subséquents.

5. LA FERMENTATION SECONDAIRE

Au cours de la fermentation principale qui dure un peu moins d'une semaine, plus de 75% du sucre a été transformé en alcool par les levures. Il en reste au moins 25% à transformer au cours de la fermentation secondaire qui peut durer un mois ou plus. La fermentation secondaire est moins active ou intense que la fermentation principale. Le nombre de bulles de gaz carbonique que l'on voit monter le long des parois de la cruche diminue peu à peu, jusqu'à disparaître complètement après quelques mois. Parfois la fermentation peut se terminer avant même un mois, parfois aussi elle peut durer jusqu'à trois mois.

Ce ralentissement de la fermentation est dû au fait qu'une grande partie des levures ont été éliminées lors du premier soutirage et que l'alcool, dont la concentration est de plus en plus élevée à mesure que progresse la fermentation, inhibe l'action des levures.

Le moût qui, au début, était un liquide sucré, a été transformé sous l'action des levures en un liquide alcoolisé et l'on peut, à partir de ce moment, parler de vin; c'est un vin jeune, encore vert, où tous les arômes et toutes les saveurs ne sont pas encore mélangés et qui nécessitera une longue période de maturation, mais c'est tout de même du vin.

À la fin de la fermentation secondaire, le vin est habituellement bien clarifié. Les levures et autres matières en suspension se sont déposées au fond de la cruche, formant la lie. Il faut goûter le vin à ce moment afin de s'assurer qu'il est bien sec, autrement dit que tout le sucre a été transformé en alcool.

6. LA MATURATION ET LE VIEILLISSEMENT

La fermentation secondaire une fois terminée, le vin est soutiré à nouveau afin d'éliminer le dépôt de lie qui s'est formé. Il ne faut cependant pas l'embouteiller immédiatement. Bien que la fermentation soit terminée, le vin subira au cours des mois qui vont suivre une série de transformations lentes et à peine perceptibles, mais nécessaires. Ces transformations se font en deux phases:

• une phase de maturation qui s'effectue en cruche et avec un apport limité d'oxygène ou d'air;

• une phase de vieilissement qui s'effectue en bouteille et complètement à l'abri de l'oxygène ou de l'air.

Au cours de ces deux phases, on assiste aux transformations suivantes :

a) la clarification se poursuit; le vin encore trouble à la fin de la fermentation devient de plus en plus limpide;

b) l'arôme ou l'odeur caractéristique du raisin s'atténue et le bouquet ou l'odeur caractéristique du vin se développe;

c) le goût s'affine; le surplus d'acide est éliminé par précipitation de l'acide tartrique;

d) la couleur change; les vins blancs ou rouges brunissent légèrement sous l'action de l'oxygène de l'air.

La maturation

Le vin vieillit généralement mieux en grande quantité qu'en petite quantité; il est donc préférable de laisser la maturation s'effectuer dans la cruche qui a servi à la fermentation secondaire.

Après une période de maturation de quatre mois, un vin de concentré est habituellement prêt à être embouteillé. Une période de vieilissement supplémentaire en bouteille contribuera certes à l'améliorer, mais il devrait déjà être buvable. Il est bon d'y goûter à ce moment. Il devrait avoir perdu le goût acide, dur et âpre qu'il avait à la fin de la fermentation secondaire. Si le vin est bien clair, on peut alors procéder à l'embouteillage et le laisser poursuivre son vieilissement.

Cependant, il est souvent préférable de laisser cette période de maturation en cruche se prolonger jusqu'à six mois, si l'on n'est pas trop impatient de le boire, quitte à raccourcir d'autant la période de vieillissement en bouteille. Tant que le vin n'est pas embouteillé, l'amateur peut toujours intervenir, mais une vois embouteillé, c'est impossible.

Durant la période de maturation, le vin sera soutiré tous les trois mois. Ces soutirages réguliers, en plus d'éliminer les lies, assurent au vin un apport faible mais régulier d'oxygène.

La clarification

Au cours de la maturation, le vin se clarifie lentement. Ce phénomène se produit habituellement de façon naturelle sans qu'il soit nécessaire d'intervenir. Avec les vins à base de jus de raisin concentré, la clarification est presque toujours spontanée; avec les vins à base de raisin, on doit souvent avoir recours à des produits clarifiants.

Si après une période de maturation de quatre à six mois, la clarification du vin ne s'est pas faite de façon spontanée, on peut avoir recours à trois procédés:

1° LE COLLAGE

La clarification par collage consiste à ajouter au vin certaines substances qui entraîneront les particules en suspension au fond de la cruche.

2° LE FILTRAGE

Le filtrage consiste à faire passer le vin à travers un filtre très fin qui retient les particules susceptibles de troubler le vin.

3° L'ADDITION D'ENZYMES

L'aspect trouble ou le manque de limpidité d'un vin est parfois dû à la présence de pectine. Cette substance est cause de la prise en gelée des confitures; indispensable dans ces dernières, sa présence dans le vin est cependant moins appréciée. Pour l'éliminer, on ajoute au vin certains enzymes appelés pectinases, qui ont la propriété de la détruire, clarifiant ainsi le vin.

Le rôle de l'oxygène de l'air

Durant la fermentation principale, la fermentation secondaire et la période de maturation, le vin absorbe, lors des soutirages en particulier, de faibles doses d'oxygène qui lui sont bénéfiques à condition d'être très faibles. Mais après une période de maturation de quatre à douze mois, il est préférable d'embouteiller le vin pour le mettre à l'abri de l'air. En effet, certaines transformations chimiques nécessaires à l'obtention d'un vin de qualité ne peuvent se produire qu'en l'absence d'oxygène.

Une fois mis en bouteille, le vin continuera de vieillir complètement à l'abri de l'air. Un mois après la mise en bouteille, on peut procéder à une première dégustation qui indiquera si le vin est prêt à être bu ou s'il est préférable de le laisser vieillir plus longtemps.

Le meilleur exemple de ces réactions d'oxydation qui se produisent au cours de la période de maturation du vin est celui de la pomme coupée. Lorsqu'une pomme coupée est laissée à l'air libre, la couleur de sa chair, blanche au début, devient rapidement brune et son goût change. Il en va de même pour le vin; cependant, lors de la mise en bouteille, le contact avec l'oxygène de l'air est supprimé et l'oxydation cesse.

Le vieillissement

La majorité des vins faits à base de concentré, comme la plupart des vins de consommation courante d'ailleurs, peuvent être bus dans l'année qui suit l'embouteillage. Il est rare qu'un vin de concentré continue à s'améliorer après plus d'un an en bouteille. Rappelons-nous que l'objectif poursuivi par l'amateur qui fait son vin lui-même à partir de concentré est de produire un bon vin de table au quart du prix auquel il se vend sur le marché. Il est inutile d'espérer qu'en laissant vieillir son vin deux ou trois ans, il s'améliorera obligatoirement et qu'on obtiendra un grand cru. Les vins qui bonifient en vieillissant sont à l'origine très riches en acides organiques et en tanin et fortement alcoolisés, ce qui n'est pas le cas des vins de concentrés.

Mais dans le cas d'un vin fait à partir de raisins, une période de maturation d'un an suivie d'une autre année de vieillissement en bouteille peut constituer un minimum.

La cave à vin

Pour entreposer son vin, il n'est pas nécessaire d'avoir une cave à vin ou de disposer d'une pièce destinée à cette fin. Tant mieux si elle existe, mais ce n'est pas obligatoire. Un endroit frais et sombre suffit amplement. Les conditions décrites ci-dessous correspondent à des conditions idéales et ne se retrouvent pas dans toutes les maisons; néanmoins, il est préférable d'entreposer son vin dans la pièce de la maison où les conditions de température se rapprochent le plus de celles énoncées ci-après:

a) Le vin doit être gardé au frais; la température idéale se situe entre 10 °C et 18 °C (50 °F et 65 °F). Elle ne devrait pas dépasser 20 °C (68 °F). On notera qu'il s'agit de températures d'entreposage lors de la maturation et du vieillissement; les températures lors de la fermentation doivent être plus élevées, aux alentours de 20 °C (68 °F).

b) Le vin doit être gardé à température constante. Les variations brusques sont à éviter soigneusement. Il est plus important de garder une température constante que d'avoir une température basse, pour autant que cette dernière soit à l'intérieur des limites acceptables mentionnées plus haut. Une cave à vin peut, sans problèmes, subir des variations saisonnières de température, mais il faut éviter d'entreposer son vin dans une armoire où la température varie d'un jour à l'autre. En été, ces variations peuvent atteindre 10 °C dans une habitation.

c) Le vin doit être gardé à l'abri de la lumière solaire; celle-ci risque de provoquer des transformations chimiques nuisibles à sa saveur.

Il est important de noter que les températures mentionnées ci-dessus sont celles que doivent maintenir les fabricants amateurs de vin lors des périodes de maturation et de vieillissement. Si vous achetez du vin fabriqué commercialement et que vous désiriez le conserver, des températures plus basses sont souhaitables pour une cave qui ne sert qu'à la conservation. Il faut, en effet, bien distinguer entre maturation et conservation. Si les fruits mûrissent à 18 °C, ils se conservent mieux à des températures beaucoup plus fraîches, 10 °C par exemple. C'est la même chose pour le vin: dans une cave trop froide, la maturation et le vieillissement seront trop lents.

III

LES INGRÉDIENTS

Les ingrédients utilisés lors de la vinification ont une grande influence sur la qualité du vin obtenu. Dans ce chapitre, nous examinerons un à un ces divers ingrédients afin de mieux les connaître et de savoir les utiliser à bon escient.

Nous avons opéré une distinction entre ingrédients et additifs. Les additifs ne sont pas à proprement parler des ingrédients, mais plutôt des produits ajoutés au vin à des fins de fabrication et de conservation. Leur emploi fera l'objet du chapitre IV.

1. LE CONCENTRÉ DE JUS DE RAISIN

Les avantages des concentrés

L'ingrédient de base qui sert à faire du vin chez soi est soit le raisin, soit le concentré de jus de raisin. L'utilisation des concentrés offre les avantages suivants :

a) Il suffit de diluer le concentré avec de l'eau pour obtenir un moût prêt à fermenter. La recette donnée sur la boîte indique les quantités d'eau et de sucre à ajouter.

b) L'équipement requis est minime, car les opérations de foulage et de pressurage sont éliminées; ces deux opérations nécessitent, lorsque l'on veut faire plus de 20 litres (4,4 gallons) de vin, l'achat de pièces d'équipement coûteuses et encombrantes: le pressoir et le fouloir.

c) L'espace requis est également minime. Tout le monde peut faire du vin dans sa cuisine. Il n'est pas nécessaire d'avoir un sous-sol puisqu'il n'y a pas de matériel encombrant à utiliser ou à entreposer.

d) On peut faire du vin tout au long de l'année et non seulement en automne, la seule époque où le raisin soit disponible.

e) On évite la manutention de caisses de raisins.

Souvent et c'est là le principal avantage des concentrés le fabricant a mélangé différents jus de raisin afin d'obtenir un moût équilibré et a fait certains tests de fermentation ou certaines analyses qui ont permis de déterminer les corrections à apporter au moût, telles l'addition de sucre, l'addition de tanin ou encore l'addition d'acides organiques.

La fabrication des concentrés

Pour obtenir un concentré de jus de raisin, les raisins sont d'abord écrasés et les rafles enlevés; on ajoute ensuite certains additifs, entre autres du métabisulfite de potassium et de la pectinase; le rôle de ces deux produits sera expliqué au chapitre IV. Les raisins écrasés sont ensuite traités différemment selon leur utilisation finale.

Pour obtenir un concentré pour vin blanc, les raisins sont pressés immédiatement. On obtient alors un jus de raisin blanc, qui devra par la suite être concentré ou réduit. Pour obtenir un concentré destiné à fabriquer un vin rouge, une étape supplémentaire est de rigueur. Nous avons vu au chapitre I que pour la vinification en rouge, on faisait fermenter ensemble le jus, la pulpe et les peaux de raisins, afin que l'alcool produit lors de la fermentation puisse dissoudre les substances colorantes contenues dans la peau des raisins et donner ainsi un vin rouge. Pour obtenir un concentré rouge, on doit également extraire les substances colorantes de la peau du raisin. Pour ce faire, les raisins écrasés sont chauffés à 60 °C durant quelques heures ; cela permet de dissoudre et

Concentrés de jus de raisin.

d'extraire les substances colorantes contenues dans les peaux. Après cette période de chauffage, les raisins sont pressés et produisent un jus rouge.

Ensuite, le jus obtenu, blanc ou rouge, est clarifié et filtré. Il est alors prêt à être concentré. Dans le passé, le jus était simplement chauffé pour faire évaporer l'eau. Le chauffage que l'on faisait ainsi subir aux jus de raisin n'était pas sans présenter des inconvénients. La température était souvent trop élevée et le jus se caramélisait, compromettant ainsi la qualité du vin. Les vins blancs fabriqués à partir de tels concentrés avaient une couleur jaune-brun et les vins rouges, une couleur rouge-brun ou ocre. Ils avaient souvent un goût de caramel et leur arôme était inexistant.

Depuis quelques années, sont apparus sur le marché des concentrés fabriqués d'après une nouvelle technique, celle de l'évaporation sous pression réduite. L'évaporation du jus de raisin a lieu dans des contenants ou évaporateurs dans lesquel on fait le vide en pompant l'air qui s'y trouve. Cette méthode produit un concentré de qualité supérieure en prévenant les risques de caramélisation et d'oxydation, puisqu'on évite ainsi au jus les dégradations dues à une surchauffe excessive. En effet, dans ces évaporateurs, la température ne dépasse habituellement pas 40 °C.

En outre, il est possible avec cette nouvelle technique de récupérer certains composés aromatiques présents dans le jus de raisin. Ces substances génératrices de l'arôme du vin étaient auparavant éliminées lors de l'évaporation. L'un des défauts majeurs des vins de concentré dans le passé était l'absence d'arôme et de bouquet.

La fabrication domestique du vin de table a donc pris une telle ampleur, particulièrement en Angleterre et aux États-Unis, que les fabricants de jus de raisin concentré sont désormais conscients de l'existence de ce marché important et fabriquent des concentrés spécialement destinés aux amateurs. L'époque est bien révolue, où les concentrés étaient faits avec des jus de raisin de qualité inférieure, sans se soucier de les caraméliser ou non, puisque de toute façon ils étaient destinés à l'industrie qui les utilisait pour faire du porto ou du sherry.

Vérification de la qualité des concentrés

Il est difficile de s'assurer à l'avance de la qualité d'un concentré. Les premières fois, l'amateur devra se fier aux conseils qui lui seront donnés dans une boutique spécialisée et utiliser des produits de marque réputée. Seul l'examen visuel du jus de raisin reconstitué à partir du concentré permet de déceler un concentré trop oxydé ou caramélisé. Pour ce faire, on prélève une petite portion de concentré que l'on dilue dans quatre ou cinq parties d'eau, selon le degré de concentration du produit utilisé. Le jus de raisin est versé dans un verre à vin et examiné. Pour un vin blanc, une couleur jaune claire aux reflets vert pâle est signe de qualité. Un jaune trop brun est signe d'oxydation. Pour un vin rouge, un rouge clair ou foncé aux reflets violets est souhaitable. Un rouge brun ou ocre trahit l'oxydation.

En cas d'échec, cet examen visuel permettra de déterminer si la piètre qualité du vin obtenu est attribuable au concentré utilisé ou à une absence de précautions de la part de l'amateur durant la fermentation.

Les divers types de concentrés

L'étiquetage des boîtes de concentré prête parfois à confusion et mérite quelques éclaircissements. Le nom du pays producteur est le premier renseignement que l'on peut lire habituellement sur l'étiquette. La Californie, l'Australie, l'Italie et l'Espagne sont les principaux producteurs de concentrés de jus de raisin.

Une autre donnée a trait au type de vin qui sera fabriqué; ainsi, par exemple, le fabriquant indiquera si le vin obtenu s'apparentera à un vin français de type bordeaux ou à un vin italien de type valpolicella. On notera qu'il s'agit bien du type ou du genre de vin fabriqué. Un concentré pour vin de type bordeaux ne provient pas nécessairement de raisins de cette partie de la France; cela signifie tout bonnement que le fabricant aura utilisé un cépage ou un mélange de différents cépages qui, une fois fermenté, devrait produire un vin qui aura les caractéristiques d'un vin de type bordeaux: même teneur en alcool, même degré d'acidité, même astringence et même quantité de sucre non fermenté.

Troisième renseignement susceptible de se retrouver sur l'étiquette: le nom du cépage utilisé pour le concentré. C'est à coup sûr la donnée la plus utile; malheureusement elle n'est pas toujours fournie, bien que cet usage tende à se répandre. Cependant, lorsqu'un concentré est fait à partir d'un cépage réputé comme le Sauvignon blanc de Californie, par exemple, vous pouvez être certain que le fabricant s'empressera de l'indiquer.

On rencontre parfois le mot anglais *varietal* sur les étiquettes de boîtes de concentré en provenance de Californie ou d'Australie. Dans la tradition viticole californienne, l'appellation *Varietal Wine* désigne un vin dans la fabrication duquel un cépage déterminé entre pour au moins 75%. Un Cabernet Sauvignon *varietal* est donc fait à partir de 75% de Cabernet Sauvignon au moins. Une telle proportion d'une même variété de raisin est suffisante pour que l'on retrouve dans le vin le goût et l'arôme caractéristiques du cépage dominant.

2. LE SUCRE

D'une année à l'autre, la quantité de sucre contenue dans le raisin récolté lors des vendanges peut varier en fonction de la température qui a régné sur le vignoble. Ainsi, lors d'un été peu ensoleillé, le raisin est susceptible de contenir moins de sucre. Pour y remédier, les fabricants commerciaux de vin ajoutent du sucre au moût avant la fermentation. Cette pratique connue sous le nom de chaptalisation est acceptable et même recommandable, à condition toutefois que la quantité de sucre ajoutée n'excède pas certaines limites.

Pour connaître la quantité de sucre à ajouter, l'amateur peut soit suivre attentivement une recette, soit déterminer lui-même la quantité de sucre à ajouter en utilisant un petit instrument appelé densimètre dont le mode d'emploi est décrit au chapitre VI.

Le sucre peut être du sucre de canne ou du sucre de maïs.

Le sucre de canne

Le sucre utilisé dans les recettes contenues dans cet ouvrage est le sucre de canne ; c'est le sucre habituellement vendu dans le commerce.

Le sucre de canne est complètement transformé en alcool lors de la fermentation et, contrairement au raisin ou au concentré, il ne contribue nullement, à donner du goût et du bouquet au vin. On doit donc écarter les recettes qui en utilisent une trop grande quantité, sans quoi le vin risque d'être insipide.

Le sucre de maïs

Certains auteurs recommandent d'utiliser du sucre de maïs plutôt que du sucre de canne. Les deux types de sucre peuvent être utilisés indistinctement et il est faux de dire que l'un de ces sucres est supérieur à l'autre.

Cependant, en raison de différences dans la structure moléculaire de chacun d'eux, les quantités employées seront différentes. Le sucre de maïs contient 20 % d'eau ; il faut donc en utiliser 20 % de plus pour obtenir le même résultat.

3. LES LEVURES

Les levures sont des organismes vivants unicellulaires du règne végétal. Comme tout organisme vivant, elles se reproduisent et elles le font très rapidement. Une cuillère à thé de levure introduite dans un moût pourra donner à la fin de la fermentation principale une couche d'un demi-centimètre (environ un quart de pouce) sur tout le fond de la cruche. Elles doivent être bien traitées. Des températures trop élevées, plus de 40 °C (105 °F), risquent de les tuer et des températures trop basses les empêchent de faire fermenter le moût. On devra donc au cours de la fermentation vérifier la température du moût.

Habituellement, les levures à vin se vendent en sachet sous forme de granules séchés ; elles sont conditionnées en enveloppes de papier métallique scellées hermétiquement. Ces enveloppes contiennent habituellement 7 grammes (0,25 once) de levures, quantité suffisante à ensemencer 20 litres de moût (4,4 gallons) ou l'équivalent d'une recette type.

On peut également se procurer des cultures de levures en suspension dans une solution nutritive. Cependant la quantité de levures présentes à l'origine dans ces cultures est très faible et on doit les faire se multiplier durant plusieurs jours avant de pouvoir ensemencer un moût. Pour cette raison, l'emploi de telles cultures n'est pas recommandé.

Les qualités d'une bonne levure à vin

Les levures à vin vendues dans le commerce sont des variétés de levures sélectionnées pour leur capacité à produire de l'alcool rapidement et à se déposer au fond de la cuve, une fois la fermentation terminée, afin de former un dépôt compact qui laisse ainsi le vin complètement clarifié.

Les levures doivent être capables de produire facilement 12 à 13% d'alcool, sans quoi la fermentation risque de s'arrêter alors que le sucre contenu initialement dans le moût n'a pas été complètement transformé en alcool; la présence de plus de 1% ou 2% de sucre résiduel dans le vin n'est pas souhaitable pour un vin de table sec.

Les levures à pain et les levures à bière ne conviennent donc pas pour faire du vin, leur tolérance à un taux élevé d'alcool ou leur rapidité à se déposer au fond du récipient, après fermentation, n'étant pas assurées. Il faut savoir que les levures, bien que productrices d'alcool, ne peuvent vivre dans un moût qui en contient trop. La majorité des variétés de levure cessent toute activité lorsque la teneur en alcool du moût atteint 13%. S'il reste encore du sucre dans le vin à ce moment, il ne sera plus transformé en alcool et l'on obtiendra un vin sucré.

Les types de levures disponibles sur le marché

Il existe dans le commerce plusieurs sortes de levures à vin:

a) les levures pour usage général où le type de vin obtenu n'est pas précisé; le fabricant indique seulement s'il s'agit d'une levure à vin blanc ou à vin rouge;

b) les levures où le type de vin obtenu est précisé: bordeaux, champagne, chablis; ces levures confèrent au moût à fermenter un caractère particulier;

c) les levures spécialisées, telles les levures à sherry, qui peuvent tolérer jusqu'à 16% d'alcool; ces levures ne doivent être utilisées qu'à cette fin.

En règle général, une bonne levure à vin pour usage général produira un vin de bonne qualité. Cependant, si on le désire, on peut se procurer des levures où le type de vin à obtenir est précisé. Ces levures sont parfois de meilleure qualité que les levures pour usage général, néanmoins il ne faut pas s'illusionner sur les possibilités qu'elles offrent. Si l'on utilise un concentré de mauvaise qualité, ce n'est pas le fait d'y ajouter une levure de type bordeaux qui transformera un piètre vin en vin de qualité.

Des expériences effectuées en France par divers instituts d'œnologie ont démontré hors de tout doute que le fait d'utiliser des levures en provenance des grands vignobles pour fermenter des moûts provenant de raisins ordinaires ne fait pas de ces moûts des grands vins. À titre d'exemple, j'utilise depuis long-temps une levure de type chablis pour les vins blancs. Elle a toujours donné de bons résultats, mais selon que je l'utilise avec un concentré de Chenin blanc de Californie ou avec un concentré de Syrah d'Australie, les résultats sont tout à fait différents et les vins obtenus, quoique de bonne qualité, n'ont pas les caracté-ristiques d'un chablis.

La préparation d'un levain

Après l'addition de levures séchées, vingt-quatre heures peuvent s'écouler avant que la fermentation ne débute. En effet, la quantité de levures ajoutée au moût est très faible et les levures doivent d'abord se multiplier. Pendant cette période de reproduction, la population de levures augmente très rapidement, mais peu d'alcool est produit; or, ce n'est que lorsqu'il contient une quantité suffisante d'alcool que le moût résiste bien aux diverses sources de contamination.

Afin de raccourcir cette période dangereuse, on prépare un levain ; c'est une petite portion de moût qui fermente activement et est utilisé pour ensemencer une grande quantité de moût. Avec les vins de concentré, il n'est pas nécessaire d'utiliser un levain, car le concentré est stérile, mais avec les vins faits directement à partir de raisins, ce procédé est à recommander.

Le levain est préparé deux ou trois jours d'avance en ajoutant un sachet de levures séchées à 2 litres de moût de concentré.

4. LES ACIDES ORGANIQUES

La présence d'une quantité adéquate d'acides organiques dans le moût — et ce, dès le début de la fermentation principale — influence non seulement le goût définitif du vin, mais aussi le déroulement de la fermentation. En effet, un moût suffisamment acide est moins susceptible de s'oxyder et d'être contaminé par les bactéries. C'est pourquoi il est important de connaître la quantité d'acides contenue dans le moût et de la modifier si elle n'est pas adéquate.

Les acides organiques du raisin et du vin

Les acides organiques contenus dans le raisin sont, par ordre d'importance, l'acide tartrique, l'acide malique et l'acide citrique. On dit que ce sont des acides organiques naturels, car ces acides se retrouvent naturellement dans presque tous les fruits. Les raisins sont particulièrement riches en acide tartrique, les pommes en acide malique et les agrumes en acide citrique.

Cependant, ces trois acides organiques ne sont pas les seuls acides du vin puisque, lors de la fermentation, il s'en forme certains autres qui sont les acides lactique, succinique et acétique. À l'état pur, ces trois acides organiques se présentent sous la forme d'une poudre blanche cristalline, semblable à du sucre.

Composés provoquant l'acidité du vin

Contenus dans le raisin :	— Acide tartrique
	— Acide malique
	— Acide citrique
Produits lors de la fermentation :	— Acide succinique
	— Acide lactique
	— Acide acétique

La correction de l'acidité

Les amateurs qui utiliseront des concentrés pour faire leur vin n'auront pas à mesurer l'acidité de leur moût. Le fabricant l'a déjà fait et il aura :

a) ou bien indiqué sur l'étiquette la quantité exacte d'acides organiques à ajouter ;

b) ou inclu les acides organiques dans un sachet supplémentaire dont le contenu devra être ajouté au moût ;

c) ou ajouté directement au concentré les quantités exactes d'acides organiques requises pour ajuster l'acidité.

Ce n'est donc qu'au chapitre VIII que nous décrirons en détail les méthodes utilisées pour mesurer la quantité d'acides organiques présents dans un moût ou un vin.

L'acidité ou teneur en acides organiques d'un moût s'exprime en grammes par litre, noté g/l, ou encore en pourcentage. Ainsi un moût qui contient 7 grammes d'acides organiques par litre aura une acidité de 7 g/l ou de 0,7%. Un moût bien équilibré devrait contenir environ 7 grammes par litre d'acides organiques.

Pour corriger un moût de concentré qui ne contient pas assez d'acides organiques, nous recommandons l'addition d'un mélange des trois acides organiques présents dans le raisin. La composition du mélange est la suivante :

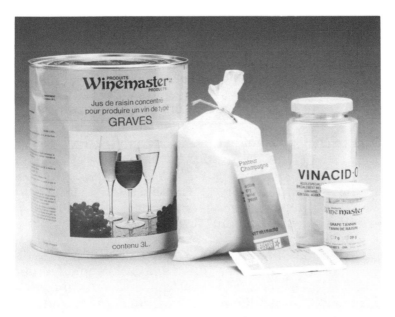

Autres ingrédients. Concentré, sucre, levure à vin, mélange de divers acides organiques et tanin.

3 parties d'acide tartrique,

2 parties d'acide malique,

1 partie d'acide citrique.

Les mélanges d'acides vendus sur le marché conviennent généralement; cependant, certains de ces mélanges contiennent une portion trop élevée d'acide citrique, pour la raison que ce dernier est le moins coûteux des trois.

Afin de corriger les moûts de raisins dont l'acidité est trop faible, on emploie de l'acide tartrique et non le mélange mentionné ci-dessus.

5. LE TANIN

Le tanin est une substance de goût amer contenu dans le raisin; il est responsable de l'astringence caractéristique des vins rouges qui en ont environ 2 grammes par litre. Les vins blancs en renferment aussi, quoique beaucoup moins: environ 0,3 grammes par litre. En réalité, on regroupe sous le nom de tanin toute une famille de composés que les biochimistes nomment composés phénoliques.

Le tanin œnologique utilisé pour corriger les moûts déficients existe sous forme d'une fine poudre de couleur blonde. Lorsque l'on achète un concentré de jus de raisin auquel le manufacturier a ajouté un sachet contenant divers ingrédients, on y retrouve habituellement du tanin, facilement reconnaissable à sa couleur.

Contrairement à la teneur en sucre ou en acide que l'on peut mesurer, il est impossible d'effectuer quelque mesure que ce soit qui permette au fabricant amateur de déterminer la quantité de tanin à ajouter à un moût avant la fermentation. Cependant, il est inutile d'ajuster la quantité de tanin avant le début de la fermentation ; il suffit d'attendre la fin de la fermentation secondaire et de goûter le vin pour vérifier s'il est assez astringent. Pour une recette de 20 litres (4,4 gallons), l'addition de 2,5 millilitres (1/2 c. à thé) de tanin est perceptible au goût. Chaque addition de tanin ne doit donc pas dépasser cette quantité. Le tanin est d'abord dilué dans un peu d'eau ou de vin avant d'être ajouté, puis, après une semaine, on goûte à nouveau au vin et l'on procède à une nouvelle addition, si nécessaire.

IV

LES ADDITIFS

Les additifs sont des substances que l'on ajoute au vin pour des raisons de fabrication, de conservation ou de présentation. Ce ne sont pas à proprement parler des ingrédients. On constate cependant que la distinction entre additifs et ingrédients est parfois arbitraire.

Les principaux produits utilisés comme additifs lors de la fabrication du vin sont:

a) les *produits stérilisants* dont le rôle est de détruire les bactéries et les levures sauvages indésirables contenues dans le moût; ces produits empêchent diverses bactéries, comme celles qui sont responsables de la transformation du vin en vinaigre par exemple, de se développer dans le vin. On utilise, dans ce cas, le métabisulfite de potassium.

b) les *produits antioxydants* dont le rôle est d'empêcher l'oxydation du vin, phénomène qui s'accompagne, nous l'avons vu, d'une perte de l'arôme, de la saveur et de la couleur : les vins trop oxydés brunissent et deviennent insipides. Les additifs utilisés à cette fin sont le métabisulfite de potassium et la vitamine C (acide ascorbique).

c) les *produits clarifiants* dont le rôle est d'opérer la clarification du vin. La clarification est un phénomène qui se produit naturellement. Cependant, si elle tarde à venir, il existe certains additifs capables de rendre limpides les vins troubles.

d) les *éléments nutritifs* destinés aux levures ; leur rôle est d'assurer la multiplication et la croissance d'une population de levures vigoureuses qui seront capables de susciter la fermentation complète et rapide de tout le sucre contenu dans le moût.

e) les *produits stabilisants* dont le rôle est d'arrêter la transformation du vin après la mise en bouteilles. L'un des produits utilisés dans ce but est le sorbate de potassium.

1. LE MÉTABISULFITE DE POTASSIUM

Propriétés et utilité

Le métabisulfite de potassium est un sel employé en règle générale comme antiseptique et antioxydant dans la fabrication du vin. On utilise indistinctement le métabisulfite de potassium ou le métabisulfite de sodium ; les deux sels ont les mêmes propriétés et les doses à utiliser sont les mêmes.

Lorsque le métabisulfite est placé dans l'eau ou dans un moût de raisin, il se décompose et il y a émission d'anhydride sulfureux ; ce dernier est un gaz antiseptique capable de détruire ou tout au moins d'inhiber l'activité des levures sauvages, des bactéries et des moisissures indésirables présentes dans le moût.

Cependant, les levures à vin développées spécialement à cette fin résistent au métabisulfite à condition
de ne pas dépasser la dose prescrite pour ce dernier.

L'anhydride sulfureux est également antioxydant.
À ce titre, il contribue à préserver l'arôme, la saveur
et la couleur du vin.

Mode d'emploi

Le métabisulfite se vend en comprimés ou en
poudre. Les comprimés commercialisés sous le nom
de comprimés Campden contiennent un demi-gramme (0,5 g) de métabisulfite. Si l'on utilise du métabisulfite en poudre, une cuillère à thé rase, soit 5 millilitres (5 ml), en contient environ cinq grammes. Si
l'on prépare des recettes de moins de 20 litres (4,4
gallons), il est préférable d'utiliser des comprimés
Campden, car la quantité de métabisulfite en poudre
est alors difficile à mesurer, parce que très petite.

Le métabisulfite est utilisé :

a) Pour stériliser les moûts faits à partir de raisins ; on l'ajoute lors du foulage des raisins, avant le
début de la fermentation principale. Par contre, les
concentrés contiennent déjà du métabisulfite ; il est
donc inutile d'en rajouter avant le début de la fermentation principale, à moins d'indication contraire.

b) Pour prévenir l'oxydation et protéger le vin
contre toute contamination par les bactéries au moment des soutirages et de l'embouteillage. On notera
que lors du premier soutirage à la fin de la fermentation principale, on peut supprimer l'addition de métabisulfite, car le vin contient, à ce stade, suffisamment
de gaz carbonique.

Les doses à utiliser sont données ci-après, en
ayant pour principe qu'après la fin de la fermentation

secondaire le vin sera soutiré tous les trois mois environ.

Le métabisulfite doit toujours être intimement mélangé au moût ou au vin. Les comprimés Campden seront réduits en poudre avant d'être ajoutés. Lors de l'addition, diluez le métabisulfite en poudre ou les comprimés écrasés dans un peu d'eau, afin qu'ils se mélangent plus facilement au moût ou au vin. Lors du soutirage, le métabisulfite en poudre ou les comprimés écrasés, dilués dans un peu d'eau, sont déposés au fond de la cruche dans laquelle le vin sera transvasé.

Doses d'utilisation du métabisulfite

Doses recommandées pour 20 litres (4,4 gallons) de vin

Étape	Poids en grammes	Comprimés Campden	Volume en millilitres	Volume en c. à thé
Foulage des raisins	2	4	2	1/2
Soutirage	1	2	1	1/4
Embouteillage	1	2	1	1/4

Précautions à prendre

Les doses de métabisulfite données dans ce livre sont inférieures de moitié à celles qui sont recommandées dans certains ouvrages. Mais elles sont suffisantes, à condition de prendre les précautions nécessaires pour stériliser le matériel, de soutirer le vin sans trop le remuer ni l'aérer et d'utiliser des ingrédients sains.

L'anhydride sulfureux produit lorsqu'on emploie du métabisulfite est un composé chimique toxique lorsqu'il se dégage en grande quantité. Les très faibles doses de métabisulfite utilisées et le fait que l'anhydride sulfureux soit un gaz volatile — donc qu'il s'évapore — font qu'au moment de boire le vin, ce dernier n'en contiendra plus. Cependant, si l'on dépasse de beaucoup les doses prescrites, le vin risque d'en renfermer encore. Heureusement, l'anhydride sulfureux se détecte aisément lors de la dégustation, car son odeur piquante et irritante ne passe pas inaperçue.

Certains amateurs font leur vin eux-mêmes précisément pour obtenir un vin exempt de tout produit chimique. Il est possible de faire du vin sans utiliser de métabisulfite et de le réussir, cependant les risques de contamination et surtout d'oxydation sont plus grands. Nous nous sommes contentés dans cette section de donner des informations objectives; il appartient donc à chacun, à la lumière de ces données, de faire son choix. Rappelons cependant que dans le secteur commercial l'emploi du métabisulfite est courant et que toutes les techniques de vinification en usage de nos jours y font appel. Il n'est pas exagéré de dire que, sans ce produit, le vin acheté dans le commerce n'aurait pas le même goût.

2. LA VITAMINE C

La vitamine C ou acide ascorbique est un antioxydant à l'instar du métabisulfite, mais, contrairement à ce dernier, elle n'a aucune propriété antiseptique ou stérilisante. La vitamine C ne remplace pas le métabisulfite, elle renforce son action. On l'ajoute au moût lors du foulage des raisins, ou au vin lors de l'embouteillage. Son emploi ne présente aucun danger.

Doses d'utilisation de la vitamine C

Doses recommandées pour 20 litres (4,4 gallons) de vin

Étape	*Poids en grammes*	*Volume en millilitres*	*Volume en c. à thé*
Foulage des raisins	5	5	1
Embouteillage	1	1	1/4

En conclusion, rappelons-nous que la vitamine C permet de conserver la fraîcheur, la couleur et l'arôme du vin (propriété antioxydante), mais ne peut empêcher le développement de bactéries nuisibles, car elle n'a aucune propriété stérilisante.

3. LES PRODUITS CLARIFIANTS

La clarification du vin

Au cours de la période de maturation, les particules en suspension dans le vin vont se déposer lentement au fond de la cruche sous l'effet de la gravité, jusqu'à ce que le vin devienne limpide. En règle générale, les vins faits à partir de jus de raisin concentré devraient se clarifier spontanément en moins de 6 mois. Pour les vins faits à base de raisins frais, la clarification est plus lente.

Si ce phénomène ne se produit pas ou s'il se produit trop lentement, on peut le provoquer ou l'accélérer de diverses façons :

74

a) par addition de produits clarifiants;

b) par filtrage; nous décrivons ce procédé au chapitre V.

L'addition de produits clarifiants est habituellement sans danger si l'on choisit avec soin les produits utilisés et si l'on se garde d'en employer une trop grande quantité. En effet, si la dose et trop forte, on risque d'«amaigrir» le vin et de le rendre mince et aqueux.

Selon leur mode d'action, il existe deux types de produits clarifiants: les enzymes et les colles. Les enzymes sont des substances biochimiques capables de détruire les substances qui rendent le vin trouble, alors que les colles ont la propriété d'éliminer ces substances en les entraînant à se déposer au fond des cruches, d'où elles seront ensuite éliminées par soutirage. Nous examinerons en détail l'utilisation des produits clarifiants suivants: la pectinase, la bentonite, l'ichtyocolle et le Sparkolloïd, un produit commercial.

La pectinase

Après quelques mois de maturation, il arrive fréquemment que le vin nouveau, sans être réellement trouble, soit opalescent. Cette opalescence ou trouble léger est parfois due à la présence de pectine. Pour l'éliminer, on utilise un enzyme, la pectinase, qui, ajoutée avant ou après la fermentation, a la propriété de dégrader et de détruire la pectine, clarifiant ainsi le vin.

Les quantités de pectinase à ajouter au vin sont très faibles, au point qu'elles sont difficilement mesurables. C'est pourquoi la pectinase est mélangée à une substance inerte afin de l'allonger, ce qui permet de mesurer plus facilement la quantité à ajouter.

Comme la concentration de pectinase dans ces mélanges varie selon les marques, la quantité à utiliser ne peut être donnée sans préciser le facteur de concentration du mélange. Un mélange de pectinase 5X ou 10X contiendra 5 ou 10 fois plus de pectinase qu'un mélange standard pour un même volume.

Doses d'utilisation de la pectinase

Doses recommandées pour 20 litres (4,4 gallons) de vin

Facteur de concentration	Volume en millilitres	Volume en c. à thé
Standard	5,0	1
5 fois	1,0	1/4
10 fois	0,5	1/8

Si le facteur de concentration n'est pas mentionné, on devra se conformer aux indications données par le fabricant. Les quantités de pectinase proposées dans ce livre sont calculées pour un mélange standard.

Pour savoir si la pectine est bien la cause du trouble du vin, on a recours à un test simple qui consiste à mélanger dans un verre un volume de vin pour quatre volumes d'alcool ; si le vin contient de la pectine, elle précipitera, c'est-à-dire formera de petits granules blanchâtres qui se déposeront au fond du verre. Si c'est le cas, utilisez de la pectinase ; sinon, la turbidité du vin est due à une autre cause.

Autre utilité de la pectinase : elle permet d'obtenir une plus grande quantité de jus à partir des raisins lorsqu'elle est ajoutée lors du foulage.

La pectinase est détruite lorsqu'elle est soumise à des températures trop élevées. On devra donc éviter de se servir d'eau trop chaude pour diluer les concentrés.

L'emploi de la pectinase est sans danger ni inconvénient, si bien qu'elle est habituellement ajoutée au moût dès le début de la fermentation principale.

La bentonite

La bentonite est une sorte d'argile; ajoutée et mélangée au vin, elle se dépose au fond de la cruche après quelques jours, entraînant avec elle les substances en suspension qui contribuaient à rendre le vin trouble. La bentonite peut être utilisée avec les vins rouges ou blancs.

La dose varie selon que la bentonite est ajoutée durant la fermentation ou durant la période de maturation alors que le vin est déjà partiellement clarifié; la quantité peut dans ce cas être diminuée de moitié. La bentonite est un produit clarifiant dont l'emploi est relativement sans danger. Si la dose utilisée n'est pas trop forte, le risque de trop dépouiller le vin et de le rendre insipide est faible, contrairement à la gélatine dont nous ne recommandons pas l'emploi pour cette raison. Le seul inconvénient de la bento-

Doses d'utilisation de la bentonite

Doses recommandées pour 20 litres (4,4 gallons) de vin

Étape	Poids en grammes	Volumes en millilitres	Volume en c. à thé
Fermentation	10	10	2
Maturation	5	5	1

nite est de former un dépôt volumineux au fond de la cruche. On perdra ainsi une partie du vin lors du soutirage subséquent.

La bentonite peut parfois laisser un arrière-goût au vin, si on l'utilise immédiatement avant l'embouteillage. Mais si elle est ajoutée plus tôt en cours de fermentation, ou en même temps qu'un autre produit clarifiant, cet inconvénient est évité. L'arrière-goût dû à la bentonite peut être éliminé par filtrage.

On n'incorpore pas directement la poudre de bentonite au vin ou au moût ; il faut au préalable la diluer dans de l'eau. Pour préparer une suspension de bentonite, on verse la quantité requise dans une tasse d'eau, on mélange soigneusement et on laisse reposer 24 heures avant de l'ajouter au vin. Comme cette argile a tendance à faire des grumeaux, on peut mélanger la bentonite et l'eau dans un flacon que l'on agitera vigoureusement.

Il est parfois recommandé d'utiliser de la bentonite à la fin de la fermentation sans attendre de voir si le vin se clarifiera de façon spontanée ou non. Cette pratique se justifie avec les vins faits directement à partir de raisins, mais, dans le cas des vins de concentré, elle n'est généralement pas nécessaire.

L'ichtyocolle

L'ichtyocolle est un produit clarifiant qui s'apparente à la gélatine, mais avec lequel les risques de surdosage sont moins critiques. L'ichtyocolle se vend habituellement en solution liquide, et c'est la forme la plus pratique à utiliser. Son emploi est généralement réservé aux vins blancs, quoiqu'elle puisse servir à l'occasion pour les vins rouges. Les doses varient selon la concentration de la solution utilisée ; on doit donc se conformer à celles recommandées par le fabricant.

L'ichtyocolle a un seul inconvénient : le dépôt qui se forme au fond de la cruche est très léger, ne crée pas une lie très dense et il est donc parfois difficile de l'éliminer par soutirage. Une addition subséquente de bentonite résoudra ce problème. On peut aussi utiliser les deux produits simultanément.

Les produits commerciaux

En plus des produits mentionnés plus haut, il en existe d'autres. L'un d'eux, mis en marché sous le nom de Sparkolloïd, donne généralement de bons résultats. Pour les amateurs qui font leur vin à partir de concentré et qui le clarifient uniquement lorsqu'il présente un trouble, c'est le produit le plus pratique à utiliser. Comme pour beaucoup de produits clarifiants, le dépôt formé n'est pas très dense.

Mode d'emploi des produits clarifiants

Pour obtenir les meilleurs résultats possibles, il est recommandé d'ajouter les produits clarifiants à l'occasion d'un soutirage.

1. Dissoudre le produit utilisé dans un peu d'eau (et non dans du vin), puis brasser jusqu'à ce que le mélange obtenu soit homogène.

2. Ajouter de l'eau jusqu'à ce que le mélange atteigne 500 millilitres (2 tasses).

3. Verser le mélange dans la cruche où sera soutiré le vin.

4. Ajouter 1 millilitre (1/4 de c. à thé) de métabisulfite en poudre, ou 2 comprimés Campden, pour 20 litres (4,4 gallons) de vin.

5. Procéder au soutirage en s'assurant que l'extrémité du tube par où sort le vin est placée au fond

de la cruche, de façon à ce que le vin se mélange au produit clarifiant.

6. Laisser reposer le vin nouvellement soutiré environ trois semaines; après ce temps, un dépôt devrait s'être formé et le vin devrait être clair.

7. Soutirer à nouveau pour éliminer le dépôt.

Les méthodes habituellement suggérées recommandent d'ajouter le produit clarifiant dans la cruche et de brasser; c'est assez difficile dans le cas d'une cruche de 20 litres dont le goulot n'a que 3 centimètres de diamètre! Ou le brassage est insuffisant et alors le produit clarifiant est mal réparti, ou le brassage est suffisant, mais ce faisant, on risque d'oxyder le vin.

4. LES ÉLÉMENTS NUTRITIFS DESTINÉS AUX LEVURES

Pour se nourrir, les levures requièrent non seulement du sucre, mais aussi divers autres principes nutritifs. Elles trouvent dans un moût fait à partir de raisins tous les éléments dont elles ont besoin. Cependant, pour accélérer la fermentation des moûts de concentrés, moins riches, on recommande souvent d'y ajouter certains éléments nutritifs tels du phosphate diammonique et un extrait de levures.

Le phosphate diammonique, ou phosphate d'ammonium, fournit de l'azote aux levures; l'azote est un élément indispensable à tous les organismes vivants. D'autres sels d'ammonium sont parfois utilisés, mais l'emploi du phosphate diammonique est préférable.

Les extraits de levure contiennent des vitamines. Les levures, comme tous les organismes vivants, ont besoin de vitamines. Riches en vitamines du groupe

B et plus particulièrement en vitamine B1 (thiamine), ces extraits de levure conviennent bien comme élément nutritif. À noter que lorsqu'on parle d'extrait de levure, il ne s'agit pas de levures vivantes mais bien d'éléments nutritifs extraits de levures mortes.

On peut se servir d'un mélange commercial d'éléments nutritifs. Ces mélanges sont habituellement composés des deux éléments mentionnés plus haut et ils les remplacent.

Doses d'utilisation des éléments nutritifs

Doses recommandées pour 20 litres (4,4 gallons) de vin fait à partir de concentré de jus de raisin

Phosphate diammonique	5 ml	1 c. à thé
Extrait de levure	5 ml	1 c. à thé
Mélange commercial	10 ml	2 c. à thé

La vitamine B1 pure, ou thiamine, est aussi utilisée comme élément nutritif. Habituellement, on la trouve en comprimés de 10 milligrammes, soit la dose nécessaire à 20 litres (4,4 gallons) de moût. La vitamine B1 en comprimés remplace l'extrait de levure; ces deux éléments répondent en effet au même besoin.

5. LES PRODUITS STABILISANTS

Le sorbate de potassium est un produit stabilisant; lorsqu'il est ajouté au vin lors de l'embouteillage, il a pour effet de neutraliser l'action des levures et de les empêcher de faire fermenter le sucre résiduel présent dans le vin. Avec les vins de table secs, il est inutile d'en ajouter et son emploi est même à éviter en raison des problèmes qu'il peut causer. Cependant, si l'on désire obtenir un vin doux ou sucré, l'addition de sorbate peut prévenir un regain de fermentation après la mise en bouteilles, ce qui aurait pour effet de produire un vin pétillant ou, pire, de faire éclater les bouteilles.

Le sorbate de potassium ne saurait arrêter une fermentation principale en pleine activité; néanmoins, ajouté à un vin dont la teneur en alcool est de 12%, il réussira à empêcher un regain de fermentation.

Le sorbate de potassium agit sur les levures et n'a aucun effet antiseptique sur les bactéries; il ne remplace donc pas le métabisulfite de potassium. Bien au contraire, le sorbate de potassium ne peut être employé que si l'on utilise en même temps du métabisulfite de potassium, car certaines bactéries responsables de la fermentation malolactique peuvent dégrader le sorbate de potassium ajouté et gâter le vin. Avant d'ajouter du sorbate, on doit donc s'assurer que ces dernières ont été détruites par le métabisulfite. La fermentation malolactique est décrite en détail au chapitre VIII.

Dose d'utilisation du sorbate de potassium

Dose recommandée pour 20 litres (4,4 gallons) de vin		
Embouteillage	10 ml	2 c. à thé

6. LE TANIN DE CHÊNE

Le raisin n'est pas la seule source de tanin qui existe dans la nature; le bois de chêne, entre autres, en contient aussi. Lorsque les vins sont vieillis dans des tonneaux de chêne blanc, l'alcool présent dans le vin va extraire une partie des tanins du chêne. Ces tanins vont se retrouver dans le vin, lui conférant ainsi une saveur caractéristique particulièrement appréciée dans le cas des vins rouges.

Pour conférer cette saveur à un vin rouge, même si l'on n'a pas de tonneaux où le faire vieillir, on peut avoir recours à l'artifice suivant : on ajoute au vin une certaine quantité de copeaux de chêne durant la fermentation secondaire ou durant la période de maturation. Pour une recette de 20 litres (4,4 gallons), l'addition de 30 grammes (1 once) de copeaux de chêne blanc à la fin de la fermentation secondaire est suffisante pour donner au vin l'effet recherché. Les copeaux devront macérer un mois dans le vin et seront éliminés lors du soutirage.

Une autre solution, plus simple, consiste à ajouter au vin un extrait de chêne blanc. Ces extraits sont fabriqués en faisant macérer des copeaux de chêne dans de l'alcool. La dose à utiliser dépend de la concentration de l'extrait et l'on devra donc suivre les instructions données sur l'étiquette par le fabricant.

V

LE MATÉRIEL ET SON UTILISATION

Ce chapitre décrit le matériel indispensable à chaque opération de la fabrication du vin.

Lorsque l'on utilise comme ingrédient de base un *concentré,* ces opérations sont:

a) la fermentation principale ;

b) le soutirage ;

c) la fermentation secondaire et la maturation ;

d) le filtrage ;

e) l'embouteillage ;

f) le nettoyage et la stérilisation ;

g) les mesures de densité et de température.

Lorsqu'on utilise comme ingrédient de base du *raisin,* les opérations suivantes s'ajoutent aux précédentes :

h) l'éraflage ;

i) le foulage ;

j) le pressurage.

Les recettes données sont conçues pour la fabrication de 20 litres (4,4 gallons) de vin. Les capacités recommandées pour les divers contenants sont fonction de ces recettes. Les raisons suivantes justifient ce choix :

• le poids d'une cruche contenant plus de 20 litres (4,4 gallons) est tel que peu de personnes peuvent la manipuler aisément ;

• ce volume est équivalent à environ 26 bouteilles de vin de format standard de 75 centilitres (26 onces liquides) ;

• les concentrés de jus de raisin se vendent habituellement en boîtes de conserve d'environ 3 litres (100 onces liquides) ou un peu plus, ce qui permet de faire une recette de 20 litres (4,4 gallons) ;

• le matériel que l'on trouve dans les boutiques spécialisées est prévu pour de telles capacités ;

• les raisins frais se vendent habituellement en caisses de 36 livres, soit environ 16 kilogrammes ; or, deux caisses de raisins donneront environ 20 litres (4,4 gallons) de jus.

1. LA FERMENTATION PRINCIPALE

Contenants à utiliser

Pour la fermentation principale, on utilise un contenant ouvert de 40 litres (8 gallons) en matière plastique (polyéthylène ou polypropylène). Ce contenant doit être léger pour en faciliter le nettoyage et fait d'un plastique approuvé pour usage alimentaire. On évitera tout plastique coloré. La capacité du contenant doit être suffisamment grande pour laisser place à la couche de mousse qui se formera lors de la fermentation.

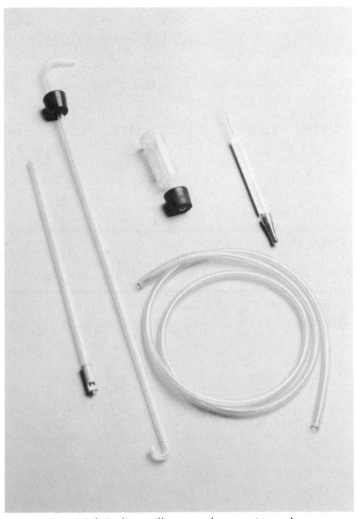

Matériel. Embouteilleuse, tube en « U », tube flexible, bonde aseptique et thermomètre.

Pendant toute la durée de la fermentation principale, ce contenant sera recouvert d'une feuille de plastique, repliée sur les côtés et attachée à l'aide d'une ficelle ou mieux d'un élastique.

Durant cette étape, beaucoup de gaz carbonique sera émis par suite de la fermentation en cours. Ce gaz, plus lourd que l'air, tend à demeurer à la surface du moût, formant ainsi une couche protectrice qui empêche l'oxydation du moût et la contamination par les bactéries. Sans cette protection, le moût exposé à l'air se gâterait très rapidement, comme c'est le cas de tout aliment laissé plusieurs jours à l'air libre sans réfrigération.

Après quelques jours, la fermentation ralentit et la quantité de gaz carbonique émise diminue; c'est pourquoi l'on doit transvaser le vin du contenant ouvert utilisé pour la fermentation principale dans un contenant fermé (non hermétiquement) où le vin sera plus à l'abri de l'air et mieux isolé de toute source de contamination.

Contenants à éviter

Il faut bannir les contenants métalliques, car le jus de raisin, comme le vin, sont des liquides acides qui réagiront chimiquement au contact du métal, ce qui affectera le goût du vin. La seule exception à cette règle: l'acier inoxydable. Mais le coût élevé de ce matériau exclut son emploi pour les contenants. Quant aux autres ustensiles utilisés, ils peuvent être faits soit d'acier inoxydable, soit de bois.

Les contenants de bois sont aussi à éviter tant au cours de la fermentation principale qu'au cours de la fermentation secondaire, parce que très difficiles à nettoyer et à stériliser.

Pour les amateurs qui possèdent des barils ou des tonneaux de bois et qui veulent les utiliser comme cuve de fermentation principale sans avoir à subir les inconvénients inhérents à ce type de contenants, mentionnons qu'il existe des sacs en plastique épais conçus pour être installés à l'intérieur d'un baril ou de tout autre contenant. Ce dernier sert alors uniquement de support, sans contact avec le vin.

2. LE SOUTIRAGE

Pour soutirer le vin d'un récipient à un autre, on utilise un siphon. Un tube flexible en plastique transparent convient parfaitement à cette opération.

Lors du soutirage, le récipient d'où l'on tire le vin est placé plus haut que le récipient vide. Après avoir introduit une extrémité du tube dans le vin, le siphon est amorcé en aspirant l'air par l'autre extrémité et on laisse le vin s'écouler doucement. L'extrémité du tube par où sort le vin doit être placée au fond du récipient. Il faut éviter de faire couler le vin du haut du récipient en éclaboussant les parois du récipient. L'opération de soutirage doit toujours se faire sans trop remuer le vin ou trop l'aérer ; trop exposé à l'air, il risque de s'éventer et de perdre son arôme et son goût.

Le soutirage qui suit la fermentation principale peut être fait avec moins de précautions que les soutirages ultérieurs, car la grande quantité de gaz carbonique alors présente protège le vin de l'oxydation. Certains fabricants de concentrés recommandent parfois d'aérer délibérément le vin à ce moment, en le laissant tomber du haut de la cruche. Cette technique destinée à éliminer ou prévenir la formation d'acide sulfhydrique, composé qui donne une mauvaise odeur au moût, ne doit être employée que lorsque c'est nécessaire.

Lors du soutirage, on doit éviter de remuer et de transvaser la couche de lie qui s'est déposée au fond du récipient. L'une des raisons du soutirage est d'éli-

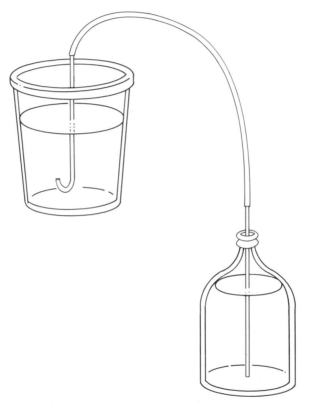

Matériel. Récipient en plastique, cruche, tube en plastique et bouteilles.

Soutirage. Ici, le soutirage est effectué à l'aide d'un tube en plastique flexible, fixé à un tube rigide dont l'extrémité est recourbée en forme de « U ».

miner ce dépôt, formé de levures mortes ou inactives et de divers composés provenant du moût. Pour ce faire, le tube de plastique doit être maintenu au-dessus de la lie; comme ce tube n'est pas rigide et a tendance à flotter dans le vin, on pourra fixer une de ses extrémités à un tube de plastique rigide qui se manipulera plus facilement; si l'extrémité de ce dernier est recourbée vers le haut en forme de U, le soutirage sera plus aisé.

L'opération sera d'autant facilitée si l'on fixe un second tube de plastique rigide à l'autre extrémité du tube flexible.

3. LA FERMENTATION SECONDAIRE ET LA MATURATION

Contenants utilisés

La fermentation secondaire doit s'opérer dans un récipient fermé non hermétiquement. Une cruche en verre de 20 litres (4,4 gallons) convient très bien à cette fin. Le verre peut être teinté ou non. Teinté, il a l'avantage de s'opposer au passage de la lumière qui est susceptible de favoriser certaines réactions chimiques nuisibles; non teinté, il permet de mieux surveiller la fermentation. On notera que les cruches en verre clair doivent être recouvertes d'un sac en papier ou en plastique opaque.

On peut remplacer la cruche de 20 litres (4,4 gallons), par 5 cruches de 4 litres (1 gallon environ). Leur poids moindre en rend la manipulation plus aisée. Cependant, elles ont les inconvénients suivants: l'oxydation du vin est accrue, car sa surface exposée à l'air est multipliée par 5 et, lors du soutirage, il y aura plus de perte, car il faudra laisser environ 2 centimètres (1 pouce) de vin dans chaque cruche.

Bonde aseptique

La cruche doit être fermée par un bouchon muni d'une bonde aseptique ou soupape de fermentation. Cette bonde tient lieu de bouchon non hermétique. Fixée sur la cruche où se fait la fermentation secondaire, elle permet au gaz carbonique de s'échapper tout en empêchant l'air et les microorganismes d'y pénétrer, prévenant ainsi toute contamination.

Les bondes aseptiques en plastique sont à la fois les moins chères et les plus pratiques. Elles ont la forme d'un récipient cylindrique dans lequel on verse une solution stérilisante de métabisulfite de potassium. La préparation de ces solutions est décrite à la section 6 de ce chapitre.

La bonde aseptique permet de maintenir la partie de la cruche qui ne contient pas de vin saturée en anhydride sulfureux antiseptique.

La maturation, longue période qui suit la fermentation secondaire, s'effectuera aussi dans une cruche de verre munie d'une bonde aseptique. Durant cette période, on veillera à remplacer chaque mois la solution de métabisulfite contenue dans les bondes.

4. LE FILTRAGE

On trouve sur le marché plusieurs types de filtre qui permettent à l'amateur de filtrer son vin afin d'obtenir un produit d'une limpidité parfaite. Le filtrage est une opération facultative; beaucoup ne filtrent jamais leur vin et se contentent, lorsque le vin est trouble, d'utiliser un produit clarifiant.

Peu importe le filtre, le processus est toujours le même: on fait passer le vin à travers une plaque filtrante; celle-ci retient les particules en suspension qui rendent le vin trouble. Les plaques filtrantes ont la forme d'un carton épais et poreux; généralement

Matériel pour le filtrage du vin. Contenant muni d'une pompe manuelle, filtre et plaque filtrante.

faites de pâte de cellulose, elles ont la propriété de retenir les particules extrêmement fines et parfois invisibles à l'œil nu.

Le filtrage du vin se fait habituellement au cours de la période de maturation ou à la fin de celle-ci, lors de l'embouteillage, c'est-à-dire au moment où le vin est particulièrement sensible à tout contact avec l'air. Si l'amateur décide de filtrer son vin, il doit utiliser un filtre où le vin est exposé à l'air le moins possible. Pour prévenir ce risque, on ajoute au vin la même dose de métabisulfite que lors d'une opération de soutirage.

Le matériel destiné au filtrage s'est nettement amélioré au cours des dernières années. Finie l'époque où un papier filtre, placé dans un entonnoir, forçait le vin à s'écouler goutte à goutte et ... à s'aérer de façon exagérée. Les filtres utilisés doivent être fermés : le vin passe de la cruche au filtre par l'intermédiaire d'un tube de plastique, traverse la plaque filtrante contenue dans un récipient fermé et ressort par un second tube. De cette manière, le vin n'est pas plus exposé à l'air que lors du soutirage classique. Le vin est forcé à travers le filtre à l'aide d'une pompe manuelle ou électrique pour accélérer l'opération.

Avant de procéder à l'achat d'un filtre en particulier, il est préférable d'en faire l'essai. La plupart des boutiques spécialisées en louent.

Le filtrage sert à clarifier un vin déjà passablement limpide ; habituellement, le vin aura d'abord été clarifié par utilisation d'un produit clarifiant pour enlever la plus grande partie des matières en suspension. Si l'on essaie de clarifier un vin très trouble à l'aide d'un filtre, les particules en suspension boucheront rapidement les pores de la plaque filtrante et celle-ci devra être changée fréquemment. On donne le nom de pores aux orifices microcospiques de la plaque filtrante par où le vin s'écoule. Pour un certain type de filtre, il existe divers calibres de plaques filtrantes, à pores plus ou moins larges. Plus les pores sont petits, plus le vin sera limpide, mais, par contre, plus le filtre se bouchera rapidement. Pour un vin très trouble, on doit utiliser une plaque dont les pores sont les plus larges possible.

5. L'EMBOUTEILLAGE

Les bouteilles

Les bouteilles de type bordeaux sont les plus pratiques à utiliser. De forme cylindrique, elles peuvent, lorsqu'elles sont couchées, s'empiler aisément. Les bouteilles de type bourgogne aux épaules trop tombantes sont moins pratiques. Quant aux bouteilles en forme d'amphore ou en d'autres formats, elles sont à déconseiller. Il est important que dès le début l'amateur choisisse le type de bouteille qu'il entend utiliser et nous lui conseillons de s'en tenir à celui-là.

Il existe deux formats pour les bouteilles de type bordeaux, la bouteille standard de 75 centilitres (26 onces liquides) et la demi-bouteille de 37 centilitres (13 onces liquides). On notera que l'utilisation de demi-bouteilles nécessite l'emploi de bouchons de liège de diamètre inférieur, d'où l'inconvénient d'avoir en réserve deux formats de bouchons.

Les bouteilles doivent être parfaitement propres. Le nettoyage en est simplifié si on les lave immédiatement après usage ; sinon, un dépôt sirupeux colle aux parois et il est difficile de les nettoyer.

Les bouteilles de vin standard ont des bouchons de liège. Ces bouchons nécessitent l'emploi d'un instrument spécial pour les mettre en place. Les amateurs se demandent souvent s'il est possible d'utiliser des bouteilles munies de capsules à visser en plastique ou en aluminium, semblables à celles de cer-

Embouteillage. Ici, l'embouteillage est effectué au moyen d'une embouteilleuse fixée au tube flexible utilisé pour le soutirage.

taines bouteilles de vin vendu dans le commerce. Oui, c'est possible, cependant ces capsules n'auront ni le cachet ni l'apparence du traditionnel bouchon de liège, et, avouons-le, tout le monde attache de l'importance à la présentation lorsque vient le moment de déguster une bouteille de vin.

Pour embouteiller une cuvée de 20 litres (4,4 gallons), il faut prévoir 26 bouteilles; pour 4 litres (1 gallon), six bouteilles. Nombre d'amateurs préfèrent s'en tenir à ces cuvées réduites qui leur évitent de devoir manipuler des cruches de 20 kilogrammes (50 livres). Laisser échapper une cruche en verre de ce poids peut être dangereux.

Les cruches et les viniers

Il existe cependant une autre possibilité: embouteiller le vin dans des cruches de 4 litres (1 gallon). Habituellement, ces cruches sont peu pratiques, car, une fois ouvertes, le vin qui s'y trouve risque de se gâter puisqu'il ne sera pas consommé en une seule fois. Vous pallierez cet inconvénient en conservant votre vin dans ses cruches de 4 litres (1 gallon) et dans 6 bouteilles. Lorsque vous aurez bu le vin contenu dans ces bouteilles, vous pourrez les remplir du vin mis en réserve dans l'une des cruches, et ainsi de suite.

Vous pouvez également utiliser des viniers. Ce sont des sacs de plastique scellés hermétiquement, munis à leur base d'un robinet et servant à contenir le vin. Il en existe qui ont une capacité de 4 litres (1 gallon) ou de 20 litres (4,4 gallons).

Les viniers ont sur les cruches en verre l'avantage suivant: lorsqu'on en tire une bouteille de vin, le sac s'écrase et il ne reste pas de volume d'air libre au dessus du vin. Le vin n'entre donc jamais en contact avec l'air, comme c'est le cas d'une cruche d'où l'on a prélevé qu'une ou deux bouteilles.

Les bouchons de liège

Certains lecteurs ont peut-être été surpris lorsque nous avons mentionné la possibilité d'utiliser des bouteilles munies de bouchons de plastique; tout bon vin ne doit-il pas être bouché au liège? Il n'est pas facile de répondre à cette question sans entrer dans des détails techniques, mais nous tenterons de le faire.

La principale raison pour laquelle on embouteille le vin est qu'il faut le mettre à l'abri de l'oxygène de l'air; la bouteille de verre munie d'un bouchon de liège a longtemps été considérée comme le meilleur contenant, à cet égard.

Durant la fermentation principale, la fermentation secondaire et la période de maturation, le vin absorbe, lors des soutirages en particulier, de faibles doses d'oxygène qui lui sont bénéfiques, à condition — comme nous l'avons mentionné précédemment — que ces doses soient très faibles. Mais après un certain laps de temps, qui correspond à la fin de la période de maturation, il faut mettre le vin à l'abri de l'air et tout contenant fermé hermétiquement convient à cette fin.

La vieille théorie selon laquelle le liège laisse passer de faibles quantités d'oxygène, apport qui serait bénéfique pour le vin, n'a plus d'adeptes parmi les œnologues; ceux-ci s'accordent à dire qu'après une première phase d'oxydation (maturation), le vin a tout avantage à subir une phase de réduction (vieillissement). Les chimistes appellent réduction une diminution du degré d'oxydation.

Sans pousser plus loin ces considérations d'ordre techniques, nous dirons que l'amateur peut utiliser des bouchons de plastique sans que la qualité de son vin en soit grandement affectée. Seule l'apparence en prendra un coup!

Les bouchons de liège destinés aux bouteilles de grandeur normale ont 24 mm de diamètre (grandeur n° 9) et ceux utilisés pour les demi-bouteilles ont 22 mm de diamètre (grandeur n° 8). Leur longueur, habituellement de 38 mm, peut varier ; les plus longs sont les meilleurs. Ils peuvent être chanfreinés ou non ; le chanfreinage, qui consiste à arrondir les bouts du bouchon, en rend la pose plus facile mais diminue d'autant la longueur du bouchage efficace.

Un liège de bonne qualité doit avoir le moins possible de lenticelles ; ces petites fissures remplies d'une poudre brune diminuent l'étanchéité et la solidité du bouchon.

Les tire-bouchons

Les meilleurs modèles de tire-bouchons sont habituellement les plus simples. Nous recommandons l'utilisation du tire-bouchon dit de sommelier. C'est un modèle à vis muni d'un levier et d'une lame rétractable fort utile pour couper et enlever les capsules qui recouvrent le goulot des bouteilles. Pour tous les modèles à vis, la vis doit être faite d'un fil rond enroulé en forme de vrille. Il faut éviter les modèles à vis coupante qui risquent de déchiqueter le bouchon avant même qu'il soit sorti du goulot.

Le coût des bouchons de liège, sans être prohibitif, est cependant élevé. Certains amateurs se servent des mêmes bouchons plus d'une fois. D'autres prétendent que cette pratique accroît les risques de contamination et nuit à la qualité du vin ; qu'en est-il ?

Il est possible d'utiliser plusieurs fois les mêmes bouchons de liège à condition de les stériliser à l'aide d'une solution de métabisulfite et d'employer un tire-bouchon à lames. Ces tire-bouchons sont spécialement conçus pour ne pas percer le bouchon de liège. Ce dernier pourra donc être réutilisé s'il n'est pas endommagé et s'il a conservé son élasticité et son diamètre initial.

Le tire-bouchon standard, en forme de vrille, perce un trou dans le bouchon et le rend inutilisable. Le tire-bouchon à lames est formé de deux lames métalliques flexibles qui s'insèrent entre le bouchon et la paroi du goulot de la bouteille, permettant ainsi de sortir le bouchon sans le percer. Son maniement exige une certaine pratique; il est fort probable que, la première fois, le bouchon glisse au fond de la bouteille. Mais après quelques essais, on en viendra à maîtriser la technique qui consiste à introduire petit à petit et l'une après l'autre les deux lames de longueur inégale entre le bouchon et le goulot de la

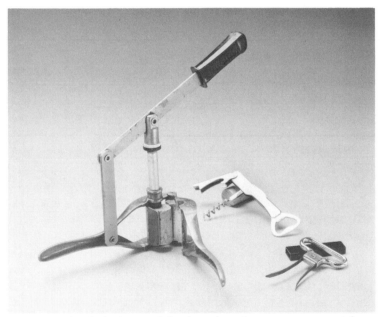

De gauche à droite: *mâche-bouchon,* instrument servant à poser les bouchons de liège; *tire-bouchon de sommelier; tire-bouchon à lames.*

bouteille, puis à tirer lentement le bouchon hors du goulot.

L'embouteilleuse

Pour emplir les bouteilles, on utilise une embouteilleuse qui consiste en un simple tube de plastique rigide muni à une de ses extrémités d'une petite soupape. L'embouteilleuse est fixée au siphon lorsque le vin est soutiré de la cruche dans les bouteilles. La soupape est maintenue en position fermée par la pression du vin, mais une pression exercée en sens inverse peut l'ouvrir momentanément et le vin s'écoule librement dans la bouteille. Pour remplir une bouteille, on y introduit la tige de l'embouteilleuse jusqu'à ce que la soupape appuie sur le fond de la bouteille ; elle s'ouvre alors, et le vin s'écoule. Une fois la bouteille remplie, on soulève le tube et la soupape se referme.

Ce petit instrument peu coûteux simplifie la tâche et évite les éclaboussures. On peut se le procurer dans les boutiques spécialisées.

Le bouchage des bouteilles

Les bouteilles étant remplies, il faut poser les bouchons de liège. Préalablement, on aura mis ces derniers à tremper durant quelques heures dans une solution de métabisulfite afin de les stériliser et de les assouplir.

Pour poser les bouchons, on utilise un instrument spécial (boucheuse ou mâche-bouchon) qui permet de comprimer les bouchons de façon à en diminuer le diamètre, tout en les poussant dans le goulot de la bouteille. Ce type d'instrument est indispensable si l'on envisage d'utiliser des bouchons de liège. Il en existe divers modèles.

Pour faciliter la pose des bouchons, il suffit de les enduire de glycérine; ce produit a pour effet de diminuer la friction.

6. LE NETTOYAGE ET LA STÉRILISATION

Le matériel servant à la fabrication du vin doit être propre. Le moût de raisin est un milieu propice au développement de bactéries et de moisissures.

L'eau de Javel

Pour nettoyer parfaitement les bouteilles et les cruches en verre avant utilisation, l'eau de Javel (solution d'hypochlorite de potassium) vendue dans le commerce est tout indiquée. Voici comment procéder: ajouter suffisamment d'eau de Javel pour couvrir le fond de la cruche ou de la bouteille; emplir d'eau chaude; laisser reposer cinq minutes; vider et rincer à l'eau courante à plusieurs reprises, jusqu'à ce que toute odeur ait disparu. L'eau de Javel enlèvera les minces dépôts de saleté laissés par les détergents ordinaires.

On doit cependant éviter de se servir d'eau de Javel pour nettoyer des récipients autres qu'en verre. Le plastique, par exemple, étant poreux, risque de garder une odeur de chlore par suite d'un contact prolongé avec une solution d'eau de Javel. En ce cas, on utilisera un détergent à vaisselle.

Le métabisulfite de potassium

C'est un autre agent de stérilisation fort utile. Il sert à stériliser l'équipement et non à le nettoyer, contrairement à l'eau de Javel qui nettoie et stérilise à la fois.

Pour l'utiliser, on le dissout dans l'eau et on rince le matériel avec cette solution. La concentration requise pour la solution est de dix pour cent. On l'obtient en mélangeant 100 millilitres (20 c. à thé) de métabisulfite à 1 litre (4 tasses) d'eau. La solution doit être conservée dans une bouteille hermétiquement bouchée, sans quoi elle s'évente rapidement.

Pour stériliser l'équipement, on le rince avec la même solution. Lorsqu'il est dissous dans l'eau, le métabisulfite de potassium se transforme en produisant de l'anhydride sulfureux, un gaz incolore d'odeur suffocante qui est fortement antiseptique.

La solution de métabisulfite est également employée pour emplir les bondes aseptiques. On s'assure ainsi que l'eau est stérile; si une goutte tombe dans le vin, ce dernier ne sera pas contaminé. On s'assure aussi, par la même occasion, que l'espace d'air libre au sommet de la cruche est saturé d'anhydride sulfureux.

7. LES MESURES DE DENSITÉ ET DE TEMPÉRATURE

Les thermomètres

Les thermomètres les plus pratiques à utiliser sont les thermomètres de cuisine, car ils peuvent flotter à la surface du moût.

Le densimètre

Le densimètre sert à mesurer la quantité de sucre que contient le moût; on prévoit ainsi à l'avance la quantité d'alcool présente dans le vin. Cet instrument, fort utile, permet de surveiller l'évolution de la fermentation. Si l'on suit à la lettre les recettes contenues dans ce livre, il est possible de s'en passer, quoique son emploi soit recommandé pour des raisons de sécurité. L'utilisation du densimètre est décrite au chapitre VI.

VI

UTILISATION DU DENSIMÈTRE

Le densimètre permet de mesurer la quantité de sucre contenue dans le moût ; il sert, entre autres, à déterminer la fin de la fermentation et à éviter d'embouteiller un vin dont la fermentation n'est pas encore achevée, ce qui serait dangereux. Nous recommandons son emploi pour des raisons de sécurité.

1. LA DENSITÉ DES LIQUIDES

Le densimètre est un instrument utilisé pour mesurer la densité des liquides. Comme la densité d'un moût varie avec la quantité de sucre qu'il contient, le densimètre nous indiquera donc la quantité de sucre présente dans le moût.

À volume égal, deux substances peuvent avoir des masses ou des poids différents. Par exemple, un mètre cube d'eau et un mètre cube de fer n'ont pas le même poids ou la même masse. On dit alors que leurs densités sont différentes. Un litre d'eau a une masse de 1 kg alors que le même volume de mercure, soit un litre, a une masse de 13,6 kg; le mercure est donc 13,6 fois plus dense que l'eau ou, en d'autres mots, sa densité relative est de 13,6 (par rapport à celle de l'eau).

La densité des liquides est toujours exprimée par rapport à celle de l'eau. La densité de l'eau a valeur de *un*; un liquide plus dense que l'eau a une densité plus grande que *un* (1,000) et un liquide moins dense que l'eau a une densité inférieure à *un* (1,000).

L'alcool pur a une densité de 0,792; un mélange d'eau et d'alcool aura donc une densité comprise entre 1,000 et 0,792.

Si l'on ajoute du sucre à de l'eau, la densité du mélange augmentera proportionnellement à la quantité de sucre ajouté. Le jus de raisin, par exemple, peut avoir une densité de 1,090, car il contient beaucoup de sucre.

Densité de différents liquides

Concentré non dilué	1,340
Moût avant fermentation	1,090
Eau	1,000
Vin	0,995
Alcool pur	0,792

On peut aussi évaluer la densité d'un liquide en pesant un volume déterminé de ce liquide; ainsi, un contenant d'une capacité de 1 litre, rempli d'eau, pèsera 1 kilogramme, alors que le même contenant, rempli de jus de raisin, pèsera cette fois 1,090 kilogramme. Comme ce serait peu pratique de peser chaque jour un contenant de 20 litres afin de suivre une fermentation, il est préférable d'utiliser un densimètre.

Examinons ce qui arrive à la densité au cours de la fermentation du vin. Au début, le moût non fermenté est, à toutes fins utiles, un mélange d'eau et de sucre ; sa densité est plus grande que 1,000, environ 1,085, parce qu'il contient du sucre qui rend le moût plus dense que l'eau. Au cours de la fermentation, les levures transforment le sucre en alcool. Le sucre qui, au début, augmentait la densité du mélange est remplacé graduellement par de l'alcool qui contribue à la diminuer. La mesure de la densité permet donc de suivre l'évolution de la fermentation du vin.

2. LE DENSIMÈTRE

Description

Le densimètre est un long tube de verre scellé, élargi à la base et lesté. La partie haute du tube de verre porte une échelle graduée sur laquelle on lit la densité directement. La base, plus large, est lestée de plomb, ce qui permet au densimètre de se maintenir à la verticale lorsqu'il flotte dans un liquide.

Pour mesurer la densité d'un liquide, on y fait flotter le densimètre. La profondeur à laquelle il s'enfonce dépend de la densité de ce liquide. Les densimètres sont habituellement vendus avec une éprouvette. L'éprouvette est un contenant cylindrique, muni d'une base, dans lequel on verse le liquide dont on veut mesurer la densité. Ce contenant est généralement en verre ou en plastique transparent.

Le mode d'emploi

Le densimètre s'utilise de la façon suivante :

1° On verse le vin ou le moût dans l'éprouvette.

2° On plonge le densimètre dans le liquide.

3° On agite pour éliminer les bulles d'air ou de gaz carbonique qui ont pu se former sur la surface de la tige.

4° On lit la densité sur l'échelle graduée à la hauteur où la tige *traverse* la surface du liquide.

Lors de la lecture, il faut maintenir l'œil à la même hauteur que le niveau du liquide. Vous remarquerez à ce moment que, sous l'effet de la tension superficielle, la surface du liquide s'incurve au point de contact avec la tige du densimètre et que le liquide remonte un peu le long de la tige; c'est ce qu'on appelle le ménisque. La lecture exacte est prise au niveau de la surface du liquide et non au sommet du ménisque.

Le densimètre ne doit pas toucher la paroi de l'éprouvette. Il doit être propre et sec: une goutte d'eau sur l'extrémité de la tige en augmente le poids et fausse la lecture. Autre source d'erreur, des bulles d'air ou de gaz carbonique se forment sur la partie submergée de la tige; pour les éliminer, il suffit, par un mouvement de rotation, de faire tourner la tige sur elle-même.

3. LA GRADUATION DU DENSIMÈTRE

L'échelle d'un densimètre utilisé pour la fabrication du vin doit être graduée de 0,990 à 1,100 afin de couvrir toutes les possibilités. Une échelle plus grande sera rarement utile et l'on doit se rappeler que plus l'échelle est grande, moins précise est la mesure de la densité.

Habituellement, la densité s'exprime par le degré de densité. Ainsi, un moût dont la densité est de 1,090 aura 90 degrés (90°) et un moût de 1,095 aura

LA LECTURE DU DENSIMÈTRE

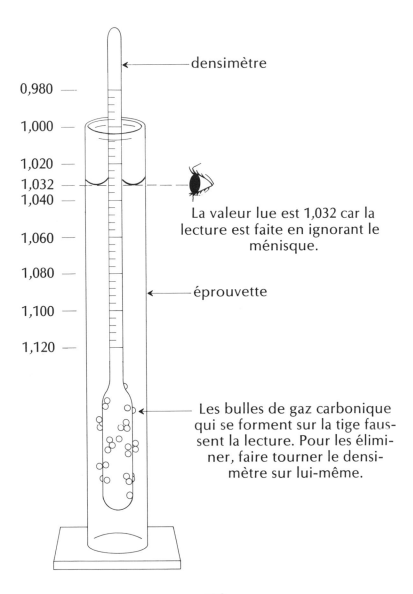

densimètre

0,980

1,000

1,020
1,032
1,040

La valeur lue est 1,032 car la lecture est faite en ignorant le ménisque.

1,060

1,080

éprouvette

1,100

1,120

Les bulles de gaz carbonique qui se forment sur la tige faussent la lecture. Pour les éliminer, faire tourner le densimètre sur lui-même.

95 degrés (95 °). Pour obtenir la densité en degrés, on ne retient que les derniers chiffres de la densité relative (si cette dernière est supérieure à 1) ou, pour être plus exact, le nombre de degrés de densité est la densité relative moins un multipliée par mille.

Par exemple, pour un moût dont la densité est égale à 1,095, on aura :

$$\text{Densité en degrés} = (1,095 - 1,000) \times 1000$$
$$= 0,095 \times 1000$$
$$= 95$$

Cette façon d'exprimer la densité n'est pas très scientifique, mais elle est d'un usage courant.

TABLEAU 6.1

Densité relative	Densité en degrés
1,120	+120°
1,110	+110°
1,100	+100°
1,090	+90°
1,080	+80°
1,070	+70°
1,060	+60°
1,050	+50°
1,040	+40°
1,030	+30°
1,020	+20°
1,010	+10°
1,000	0°
0,995	–5°
0,990	–10°

On constate que les densités relatives inférieures à 1,000 ont des valeurs en degrés négatives.

4. LES CORRECTIONS EN FONCTION DE LA TEMPÉRATURE

Le densimètre est calibré pour être utilisé à une température de 15,5 °C (60 °F). Lorsqu'on mesure la densité d'un liquide dont la température est très éloignée de celle-ci, la lecture n'est plus exacte et doit être corrigée d'après les données du tableau 6.2.

TABLEAU 6.2

Table de correction en fonction de la température

Température		Correction	
10 °C	50 °F	−0,001	−1°
15 °C	59 °F	0,000	0°
20 °C	68 °F	+0,001	+1°
25 °C	77 °F	+0,002	+2°
30 °C	86 °F	+0,003	+3°
35 °C	95 °F	+0,005	+5°
40 °C	104 °F	+0,007	+7°

Par exemple, si l'on mesure la densité d'un moût à une température de 30 °C (86 °F) et qu'elle est de 1,090, alors la correction en fonction de la température sera +0,003 et la densité est alors de 1,093, ou :

Densité relative = 1,090 + 0,003 = 1,093

Si l'on utilise la notation en degrés, on a alors un moût de 90° de densité auxquels on ajoute 3°, ce qui donne 93° de densité, soit l'équivalent d'une densité relative de 1,093. En règle générale, les mesures faites à la température de la pièce n'ont pas à être corrigées.

5. L'UTILITÉ DU DENSIMÈTRE

Le densimètre sert à :

• mesurer la quantité de sucre dans un moût ;

• suivre l'évolution de la fermentation ;

• calculer l'atténuation d'un moût et sa teneur en alcool.

Mesure de la quantité de sucre

Avant le début de la fermentation, il n'y a pas encore d'alcool et seul le sucre a une influence sur la densité. Celle-ci est donc, à ce stade, une bonne mesure de la teneur en sucre. Connaissant la densité initiale d'un moût, c'est-à-dire la densité du moût avant le début de la fermentation, on peut trouver sa teneur en sucre dans le tableau 6.3.

Selon ce tableau, un moût de raisin de densité initiale 1,090 (90°) contient 22% de sucre, c'est-à-dire 22 grammes de sucre par 100 grammes de moût. Si l'on suppose que tout le sucre est transformé en alcool lors de la fermentation, ce taux devrait donner 12,6% d'alcool en volume dans le vin, ce qui est rarement le cas, et en ce sens les valeurs de la colonne 4 du tableau 6.3 sont des valeurs maximales et ne sont pas très précises, bien qu'elles soient cependant utilisables. L'erreur provient du fait que le sucre n'est pas la seule substance présente dans le moût qui contribue à la densité. Le moût n'est pas uniquement un mélange d'eau et de sucre, il contient d'autres

TABLEAU 6.3

Table de densité

1	2	3	4
Densité relative	*Densité en degrés*	*Sucre en %*	*Alcool en %* *(maximum)*
1,000	0	0	0
1,010	10	2,5	1,4
1,020	20	5,0	2,8
1,030	30	7,5	4,3
1,040	40	10,0	5,6
1,050	50	12,5	7,2
1,060	60	15,0	8,6
1,070	70	17,5	10,1
1,080	80	19,5	11,3
1,090	90	22,0	12,6
1,100	100	24,0	13,8
1,110	110	26,5	15,3

substances qui lui donnent sa densité. Une méthode plus précise de la teneur en alcool est indiquée plus loin, mais la densité initiale permet tout de même une bonne estimation.

Certains densimètres sont parfois calibrés en degrés Balling ou en degrés Brix. Les degrés Balling et Brix sont égaux et correspondent à 1% de sucre. Un moût de 10° Balling contient donc 10% de sucre en poids, soit 10 grammes de sucre pour cent grammes de moût. Dans cet ouvrage, plutôt que de parler d'un moût de 20° Balling, nous dirons simplement qu'il contient 20% de sucre.

Évolution de la fermentation

Le densimètre a une autre utilité : il permet de suivre l'évolution de la fermentation. Prenons l'exemple d'un moût de densité initiale égale à 1,090 ; à la fin de la fermentation, la densité devrait être un rien sous 1,000.

Le graphique suivant donne un aperçu de l'évolution de la densité au cours de la fermentation. Durant les douze ou vingt-quatre premières heures, la densité varie peu, car les levures sont peu nombreuses. Après vingt-quatre heures, la fermentation principale est généralement bien amorcée, la densité commence à décroître et ce, rapidement, jusqu'au sixième jour où elle atteint 1,030. Ensuite, la chute est beaucoup plus lente, car il reste moins de sucre et les levures commencent à être affectées par la présence de l'alcool qui diminue leur activité.

Densité au cours de la fermentation

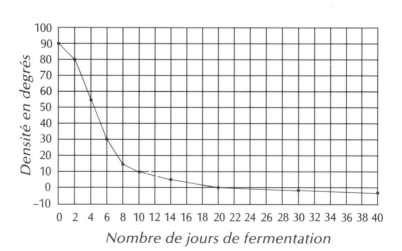

114

Cette courbe de fermentation est typique, mais la fermentation ne se déroulera pas toujours de cette façon. L'influence de la température, à cet égard, est prépondérante; à 24 °C (75 °F), un moût peut fermenter près de deux fois plus rapidement qu'à 18 °C (65 °F). Cependant, une fermentation accélérée ne donne pas nécessairement un meilleur vin et les vins blancs, en particulier, doivent pouvoir fermenter à une température qui demeure sous 20 °C (68 °F).

Le densimètre permet de déterminer avec certitude la fin de la fermentation. Tout arrêt de celle-ci se détecte aisément à l'œil; en effet, les bulles de gaz carbonique cessent de monter à la surface de la cuve ou de la cruche. Mais il peut y avoir arrêt de la fermentation sans qu'il y ait transformation complète du sucre en alcool et cela peut être dû à une baisse de la température ou à une culture de levure faible qui ne trouve pas suffisamment de nourriture dans le moût.

Il serait alors dangereux d'embouteiller un vin qui contient encore une forte quantité de sucre. Si la fermentation reprenait, les bouteilles risqueraient d'exploser. Lorsqu'un vin ne contient plus de sucre, sa densité est nécessairement sous 1,000 (0,995 est une valeur courante pour un vin de table contenant 12% d'alcool); le densimètre nous indique donc le moment où le vin peut être embouteillé en toute sécurité. Si lors d'un arrêt de la fermentation, il arrive que la densité soit encore élevée, 1,010 (10°) par exemple, il faudra ajouter de nouvelles levures pour faire reprendre la fermentation.

Atténuation et teneur en alcool

La densité initiale ou la quantité de sucre présente initialement dans le moût permet de prédire la teneur probable en alcool, si l'on se reporte au tableau 6.3. Cependant, la précision de cette méthode laisse à désirer, car le vin n'est pas en réalité un simple mélange d'eau et d'alcool, tout comme le moût avant la fermentation n'est pas uniquement un mélange d'eau et de sucre.

Le moût contient des substances non fermentescibles en quantités variables et ces substances se retrouvent dans le vin. Ainsi la densité finale d'un vin de table est rarement beaucoup plus basse que 0,995, ce qui serait le cas si ce vin ne contenait que de l'eau et de l'alcool. La densité d'un mélange contenant 88% d'eau et 12% d'alcool est de 0,985. La densité de l'eau étant 1,000 et celle de l'alcool 0,794, la présence de l'alcool contribue à diminuer la densité du mélange jusqu'à 0,985. Cependant, un vin contenant 12% d'alcool n'atteindra jamais une densité si basse ; cela est dû à la présence de substances autres que l'alcool dans le vin ; par exemple : les acides organiques, la glycérine, le tanin et de faibles quantités de sucre non fermenté.

Pour calculer avec plus de précision la teneur en alcool du vin, on doit connaître l'atténuation qu'a subie ce vin au cours de la fermentation. On appelle atténuation la différence entre la densité initiale et la densité finale d'un vin, c'est-à-dire la densité du moût avant le début de la fermentation et la densité du vin à la fin de la fermentation.

Pour un vin de table, la teneur en alcool exprimée en % est obtenue en divisant l'atténuation mesurée en degrés par 7,4. Ainsi, un vin ayant une densité initiale de 90° et une densité finale de 0° aura une atténuation de 90°, soit 90 moins 0, et une teneur en alcool de 12%, soit 90 divisé par 7,4.

ATTÉNUATION = DENSITÉ INITIALE — DENSITÉ FINALE

TENEUR en ALCOOL en % = *ATTÉNUATION* ÷ 7,4

La précision de cette méthode de mesure de la teneur en alcool n'est pas affectée par la présence de matières non fermentescibles. Car leur contribution à la densité est la même au début et à la fin de la fermentation.

6. L'ADDITION DE SUCRE AU MOÛT

Ce qui précède semblera quelque peu théorique, mais, de façon approximative, on peut se fier aux énoncés suivants :

a) la densité en degrés divisée par 4 donne la teneur en sucre ;

b) la teneur en sucre divisée par deux donne la teneur en alcool.

TABLEAU 6.4

Quantité de sucre à ajouter au moût

Quantité pour 20 litres (4,4 gallons) de vin

Si la densité initiale du moût est de :	Le nombre de tasses de sucre à ajouter est de :
1,000	23
1,010	20
1,020	18
1,030	15
1,040	13
1,050	10
1,060	8
1,070	5
1,080	2
1,090	0

Ainsi donc, un moût dont la densité initiale est de 100° contient 25% de sucre et un tel pourcentage de sucre devrait donner environ 12 à 13% d'alcool. Cette règle reste approximative cependant.

Si après avoir mesuré la densité du moût, on constate qu'elle est inférieure à 1,075 (75°), il est alors nécessaire d'ajouter du sucre au moût. Pour ce faire, on peut ajouter le sucre demi-tasse par demi-tasse et mesurer la densité après chaque addition. Si l'on désire procéder plus méthodiquement, on suivra les doses recommandées dans le tableau 6.4; il détermine pour un moût de densité donnée, la quantité de sucre à ajouter pour porter sa densité à 1,090, c'est-à-dire à un niveau tel que la teneur en alcool du vin, une fois la fermentation terminée, sera d'environ 12%.

7. LA MESURE DU SUCRE RÉSIDUEL DANS LE VIN

Après fermentation, le vin ne contient plus qu'une très faible quantité de sucre résiduel, à peine 1 ou 2%. Il est impossible d'évaluer avec précision une quantité aussi minime, même à l'aide du densimètre.

Cependant, on peut se servir de comprimés réactifs vendus dans les pharmacies ou les boutiques spécialisées sous la marque Clinitest. Les comprimés Clinitest permettent d'évaluer de façon rapide des teneurs en sucre allant de 0 à 2%. On ajoute simplement un comprimé Clinitest à une certaine quantité de vin et on observe le changement de couleur qui se produit. La teneur en sucre résiduel est déterminée par comparaison de la couleur de l'échantillon de vin avec une échelle de couleurs de référence.

VII

LE VIN DE CONCENTRÉ
DE JUS DE RAISIN

Les recettes qui suivent s'échelonnent selon un ordre croissant de difficulté. Nous recommandons aux lecteurs et lectrices de commencer par les plus simples pour ensuite passer aux plus difficiles. Ce sont des recettes types qui décrivent les étapes à suivre en fonction des ingrédients utilisés au début.

Le concentré utilisé déterminera le type de vin obtenu. Si l'on désire faire un vin de type chianti ou de type bourgogne, on choisira le concentré adéquat; le processus de fabrication sera habituellement le même dans les deux cas.

Toutes les recettes sont calculées pour obtenir 20 litres (4,4 gallons) de vin ou l'équivalent de 26 bouteilles.

Pour chacune, nous donnons la liste des ingrédients ainsi que des indications sur les densités initiales et finales, l'atténuation, la teneur en alcool probable et l'acidité. En ce qui a trait à l'acidité, ce n'est qu'au chapitre VIII que les méthodes de mesure sont décrites; on peut toutefois préparer toutes les recettes données dans ce chapitre, sauf une, sans avoir à mesurer l'acidité.

RECETTE TYPE N° 1

Vin de table léger
(blanc ou rouge)

Cette recette de base à partir de concentré de jus de raisin donnera un vin de table léger, blanc ou rouge, dont la teneur en alcool sera d'environ 10%. C'est la recette la plus simple; le concentré utilisé est du type «tout préparé d'avance». Il suffit d'ajouter du sucre et de l'eau pour obtenir un moût prêt à fermenter.

Le fabricant a mesuré l'acidité du jus de raisin et a ajouté les acides organiques nécessaires, soit directement au concentré, soit dans un sachet à part dont on mélange le contenu au moût. Ce sachet peut aussi contenir du tanin et divers additifs.

INGRÉDIENTS

- Concentré (1 boîte)   2,8 l   100 oz liq
- Sucre   1,25 l   5 tasses
- Additifs   1 sachet
- Eau (5,5 boîtes)   16 l   3,5 gal
- Levure à vin   1 sachet

Densité initiale:	1,075	75°
Densité finale:	0,995	–5°
Atténuation:	80°	
Teneur en alcool:	10%	
Acidité:	6,5 g/l	0,65%

Préparation du moût

1° Verser la boîte de jus de raisin concentré dans le seau de plastique qui servira à la fermentation principale.

2° Ajouter le sucre.

3° Ajouter le sachet d'ingrédients ou d'additifs fourni avec le concentré, s'il y a lieu.

4° Verser l'eau, remuer pour bien dissoudre. La température de l'eau doit être à environ 20 °C (68 °F).

5° *Facultatif*: Mesurer et noter la densité initiale du moût.

6° *Facultatif*: Mesurer et noter l'acidité du moût.

Fermentation

Suivre les indications données à la fin de ce chapitre sous le titre **Instructions pour la conduite de la fermentation**.

RECETTE TYPE N° 2

Vin de table
(blanc ou rouge)

Cette recette de base à partir de concentré donnera un vin de table, blanc ou rouge, dont la teneur en alcool sera d'environ 12%. La recette est identique à la précédente, exception faite de la quantité de sucre qui est plus importante, afin d'obtenir une teneur en alcool plus élevée.

- Concentré (1 boîte) 2,8 l 100 oz liq
- Sucre 2 l 8 tasses
- Additifs 1 sachet
- Eau (5,5 boîtes) 16 l 3,5 gal
- Levure à vin 1 sachet

Densité initiale :	1,090	90°.
Densité finale :	0,995	–5°
Atténuation :	95°	
Teneur en alcool :	12%	
Acidité :	7 g/l	0,7%

PRÉPARATION DU MOÛT ET FERMENTATION

Suivre les instructions de la recette type n° 1.

RECETTE TYPE N° 3

Vin rouge à base de jus de raisin concentré

Cette recette est conçue pour un vin rouge fait à partir d'un concentré auquel vous devrez ajouter, outre le sucre et l'eau, divers ingrédients et additifs : acides organiques, tanin, éléments nutritifs pour levures et pectinase. Ce sont là les ingrédients qui étaient inclus dans le sachet fourni avec les recettes types n° 1 et n° 2.

Une difficulté surgit lorsque l'on tente de donner des recettes types de vin à partir de concentrés. Ceux-ci ne sont pas tous des produits standardisés, comme c'est le cas de plusieurs ingrédients culinaires. Ainsi, une recette qui préconise d'ajouter telle quantité d'un mélange d'acides organiques risque d'être imprécise, car, d'un concentré à l'autre, la quantité d'acides organiques déjà contenue dans le concentré peut varier selon la variété de raisin, leur degré de maturité et le mode de concentration du jus. La difficulté est résolue par le fait que le fabricant indique sur l'étiquette de la boîte de concentré la recette à suivre et les quantités de chacun des ingrédients à ajouter au moût.

Les recettes que nous donnons supposent l'emploi de concentré pour lequel le jus a été concentré par un facteur quatre — ce qui est habituellement le cas dans l'industrie — et dont la densité est de 1,340 (340°). Un tel concentré contient, avant dilution, 70% de sucre et environ 30 grammes par litre d'acides organiques, soit 3%.

INGRÉDIENTS

• Concentré (1 boîte)	2,8 l	100 oz liq
• Sucre	1,25 l	5 tasses
• Eau (5,5 boîtes)	16 l	3,5 gal
• Mélange d'acides	30 ml	6 c. à thé
• Tanin	5 ml	1 c. à thé
• Éléments nutritifs	10 ml	2 c. à thé
• Pectinase	5 ml	1 c. à thé
• Levure à vin	1 sachet	

Densité initiale :	1,075	75°
Densité finale :	0,995	–5°
Atténuation :	80°	
Teneur en alcool :	10%	
Acidité :	6,5 g/l	0,65%

PRÉPARATION DU MOÛT

1° Verser la boîte de concentré dans le récipient qui servira à la fermentation principale.

2° Ajouter le sucre.

3° Ajouter le mélange d'acides organiques, le tanin, et la pectinase.

4° Ajouter les éléments nutritifs pour levures. Utiliser soit 5 ml (1 c. à thé) de phosphate diammonique et 5 ml (1 c. à thé) d'un extrait de levure, soit 10 ml (2 c. à thé) d'un mélange d'éléments nutritifs vendus commercialement.

5° Ajouter l'eau et brasser pour bien dissoudre. La température de l'eau ajoutée doit être à environ 20 °C (68 °F).

6° *Facultatif*: Mesurer et noter la densité initiale du moût.

7° *Facultatif*: Mesurer et noter l'acidité du moût.

FERMENTATION

Suivre les indications données à la fin de ce chapitre sous le titre **Instructions pour la conduite de la fermentation.**

RECETTE TYPE N° 4

Vin blanc à base de jus de raisin concentré

Cette recette est une recette typique de vin blanc fait à partir d'un concentré vendu *sans* sachet d'additifs, comme c'était le cas pour la recette type n° 3.

Bien que les deux recettes se ressemblent beaucoup, l'acidité du moût est plus élevée dans ce cas-ci et la quantité de tanin ajoutée est moindre, car il s'agit d'un vin blanc.

INGRÉDIENTS

- Concentré (1 boîte)   2,8 l   100 oz liq
- Sucre   1,25 l   5 tasses
- Eau (5,5 boîtes)   16 l   3,5 gal
- Mélange d'acides   50 ml   10 c. à thé
- Tanin   2,5 ml   1/2 c. à thé
- Éléments nutritifs   10 ml   2 c. à thé
- Pectinase   5 ml   1 c. à thé
- Levure à vin   1 sachet

Densité initiale :	1,075	75°
Densité finale :	0,995	–5°
Atténuation :	80°	
Teneur en alcool :	10 %	
Acidité :	7 g/l	0,7 %

PRÉPARATION DU MOÛT ET FERMENTATION

Suivre les instructions de la recette type n° 3.

RECETTE TYPE N° 5

Vin blanc de concentré et de raisins

Cette recette de vin blanc est semblable à la recette type n° 4, mais elle comporte un ingrédient de plus ; du raisin muscat. Le muscat donnera plus d'arôme à ce vin blanc fait à base de concentré.

INGRÉDIENTS

- Raisin muscat   1 kg   2,5 lb
- Métabisulfite   1/2 ml   1 comprimé
- Concentré (1 boîte)   2,8 l   100 oz liq

125

- Sucre   1,25 l   5 tasses
- Eau (5 boîtes)   14 l   3 gal
- Mélange d'acides   50 ml   10 c. à thé
- Tanin   2,5 ml   1/2 c. à thé
- Pectinase   5 ml   1 c. à thé
- Éléments nutritifs   10 ml   2 c. à thé
- Levure à vin   1 sachet

Densité initiale :	1,080	80°
Densité finale :	0,995	–5°
Atténuation :	85°	
Teneur en alcool :	11 %	
Acidité :	7 g/l	0,7 %

Préparation du moût

1° Mettre les raisins *éraflés* dans le récipient qui servira à la fermentation principale. Écraser les raisins; tous les raisins doivent l'être, mais il faut éviter de briser les pépins, ce qui aurait pour effet de communiquer un goût amer au vin.

2° Ajouter aux raisins écrasés 1/2 millilitre de métabisulfite en poudre ou 1 comprimé Campden préalablement dissous dans une tasse d'eau; bien mélanger.

3° Ajouter le concentré et le sucre.

4° Ajouter le mélange d'acides organiques, le tanin et la pectinase.

5° Ajouter les éléments nutritifs pour levures. Utiliser soit 5 ml (1 c. à thé) de phosphate diammonique et 5 ml (1 c. à thé) d'un extrait de levure, soit 10 ml (2 c. à thé) d'un mélange d'éléments nutritifs vendus dans le commerce.

6° Ajouter l'eau et brasser pour bien dissoudre. La température de l'eau ajoutée doit être environ à 20 °C (68 °F).

7° *Facultatif*: Mesurer et noter la densité initiale du moût.

8° *Facultatif*: Mesurer et noter l'acidité du moût.

FERMENTATION

Suivre les indications données à la fin de ce chapitre sous le titre **Instructions pour la conduite de la fermentation.** Cependant, à la fin de la fermentation principale, lors du premier soutirage, retirer les raisins écrasés du moût, les placer dans du coton à fromage ou dans un sac en nylon et presser soigneusement pour en extraire tout le jus.

RECETTE TYPE N° 6

Vin prêt à boire en un mois

Il existe actuellement sur le marché des ensembles comprenant tous les ingrédients nécessaires pour faire du vin qui, on vous le certifie, sera prêt à boire en un mois. Que faut-il en penser et est-ce faisable? La fabrication du vin en un mois est rendue possible par l'emploi systématique d'additifs qui accélèrent les processus de vinification et y mettent fin de façon abrupte si cela est nécessaire, calquant en cela les méthodes de fabrication commerciale. Il serait plus exact de parler de vin prêt à *embouteiller* après un mois, plutôt que de vin prêt à boire après ce laps de temps. L'embouteillage terminé, une période de maturation de quelques mois est habituellement bénéfique pour ce type de vin.

Ces vins doivent posséder les caractéristiques de vins qui vieillissent rapidement :

— faible teneur en alcool :

— faible teneur en acides organiques ;

— faible teneur en tanin.

De plus, on aura recours aux méthodes suivantes pour accélérer le processus :

— la fermentation se fera à une température relativement élevée, au dessus de 22 °C (72 °F) ;

— des éléments nutritifs destinés aux levures seront ajoutés au moût afin d'obtenir une population de levures vigoureuses qui fera fermenter le moût rapidement ;

— la clarification naturelle sera accélérée par l'addition de bentonite, un agent clarifiant, dès la fin de la fermentation principale ;

— après 3 semaines, le vin sera soutiré et la fermentation secondaire, habituellement terminée ou sur le point de l'être, sera définitivement arrêtée par l'addition simultanée de métabisulfite de potassium et de sorbate de potassium ;

— on ajoutera aussi, à ce moment, un deuxième produit clarifiant, habituellement de l'ichtyocolle ;

— on laissera reposer une semaine afin que le produit clarifiant agisse et l'on embouteillera le vin.

Vous avez sans doute constaté que la plupart des additifs mentionnés au chapitre IV pour accélérer la fabrication du vin y ont passé ! Tout compte fait, pour ce type de vin, il n'y a pas de secret de fabrication qui tienne ! N'importe qui peut en faire chez soi en utilisant un concentré approprié et les additifs énumérés plus haut. Le seul avantage que vous trouverez à utiliser un ensemble d'ingrédients préparés à l'avance est que vous n'aurez pas à acheter séparément et à mesurer toute une série d'ingrédients et d'additifs. En ce qui concerne les ingrédients, il n'y a habituellement aucun problème, mais la quantité à utiliser pour les additifs est plus difficile à déterminer et l'on risque de dépasser la dose. Par contre, si l'on se sert d'un de ces ensembles où les ingrédients sont préparés d'avance, on sait que le fabricant a déjà procédé à des essais afin de déterminer la quantité adéquate de produits clarifiants à utiliser.

La qualité du vin ainsi obtenu est généralement bonne — ce qui en surprendra certains —, à condition de lui accorder trois mois de maturation une fois qu'il est embouteillé. Il serait donc plus exact de parler de vin prêt à boire après quatre mois que de vin fait en quatre semaines. À noter que nous parlons ici d'un vin où l'ingrédient de base est bien un concentré de jus de raisin et non un mélange de divers fruits ou jus de fruits cherchant à imiter le raisin.

J'ai personnellement expérimenté plusieurs de ces ensembles disponibles sur le marché, soit en suivant la méthode rapide et en utilisant tous les additifs prescrits, soit en utilisant la méthode traditionnelle de fabrication de vin à partir de concentrés, c'est-à-dire 1 semaine ou moins de fermentation principale, 1 mois de fermentation secondaire et 3 mois de maturation en cruche avant l'embouteillage ; les résultats obtenus étaient similaires. Le vin « prêt à boire en un mois » pour lequel on avait utilisé des produits clarifiants était habituellement un peu plus limpide, quoique, dans certains cas, des vins qui avaient clarifié de façon spontanée étaient aussi limpides que ceux auxquels on avait ajouté des produits destinés à les clarifier.

Cela dit, ces ensembles constituent pour le débutant une bonne façon de s'initier à cet art qu'est la fabrication du vin maison.

Nous donnons ci-dessous une recette type pour ce genre de vin. Vous remarquerez cependant que la période requise dépasse un mois. Cette recette est un bon exemple d'utilisation des produits clarifiants pour accélérer la vinification et elle permettra à ceux qui veulent éventuellement faire leur vin à partir de raisin de se familiariser avec ces produits.

INGRÉDIENTS

• Concentré (1 boîte)	2,8 l	100 oz liq
• Sucre	1,25 l	5 tasses
• Eau (5,5 boîtes)	16 l	3,5 gal
Sachet n° 1		
• Mélange d'acides	30 ml	6 c. à thé
• Tanin	5 ml	1 c. à thé
• Éléments nutritifs	10 ml	2 c. à thé
• Pectinase	5 ml	1 c. à thé
Sachet n° 2		
• Bentonite	20 ml	4 c. à thé
Sachet n° 3		
• Ichtyocolle en solution	25 ml	5 c. à thé
Sachet n° 4		
• Métabisulfite de potassium	1 ml	1/4 c. à thé
Sachet n° 5		
• Sorbate de potassium	10 ml	2 c. à thé
• Levure à vin	1 sachet	
Densité initiale :	1,075	75°
Densité finale :	0,995	–5°
Atténuation :	80°	
Teneur en alcool :	10 %	
Acidité :	6 g/l	0,6 %

PRÉPARATION DU MOÛT

1° Verser la boîte de concentré dans le récipient qui servira à la fermentation principale.

2° Ajouter le sucre.

3° Ajouter le sachet n° 1 qui contient un mélange d'acides organiques, du tanin, des éléments nutritifs pour les levures et de la pectinase.

4° Ajouter l'eau et brasser pour bien dissoudre. La température du moût devrait osciller entre 22 °C et 25°C (72°F et 77°F).

5° *Facultatif*: Mesurer et noter la densité initiale du moût.

6° *Facultatif*: Mesurer et noter l'acidité du moût.

FERMENTATION PRINCIPALE

1° Après avoir mélangé les ingrédients, ajouter la levure.

2° Couvrir d'une feuille de plastique le contenant qui servira à la fermentation principale; attacher soigneusement le plastique pour éviter toute contamination.

3° La fermentation principale devrait débuter en moins de 24 heures; une fine mousse apparaîtra, puis deviendra de plus en plus abondante jusqu'à atteindre 7 centimètres (3 pouces) d'épaisseur.

4° Laisser la fermentation principale se poursuivre dans le contenant ouvert durant 5 à 7 jours au maximum ou jusqu'à ce que la densité atteigne 1,025 (25°).

FERMENTATION SECONDAIRE

1° Verser la bentonite (sachet n° 2) et 250 millilitres (1 tasse) d'eau dans une bouteille et agiter vigoureusement pour bien mélanger; laisser reposer 24 heures et vider ce mélange au fond d'une cruche dans laquelle sera soutiré le vin.

2° Soutirer le vin. Disposer l'extrémité du tube d'où s'écoule le vin de façon que celui-ci se mélange à la bentonite.

3° Installer une bonde aseptique sur la cruche. Remplir la bonde avec une solution de métabisulfite de potassium.

4° Laisser la fermentation secondaire se poursuivre durant un mois ou jusqu'à ce que la densité atteigne 0,995 ou moins. À ce moment, le vin est prêt pour un second soutirage.

5° Dissoudre l'ichtyocolle (sachet n° 3) dans 250 millilitres (1 tasse) d'eau, la mélanger soigneusement et l'ajouter dans la cruche où sera soutiré le vin.

6° Dissoudre le métabisulfite de potassium contenu dans le sachet n° 4, dans 250 millilitres (1 tasse) d'eau et l'ajouter dans la cruche où sera soutiré le vin.

7° Soutirer le vin afin d'éliminer le dépôt de lie qui s'est formé au fond de la cruche utilisée comme cuve secondaire. Disposer l'extrémité du siphon par où sort le vin de façon que le vin soutiré se mélange à l'ichtyocolle et au métabisulfite déjà contenus dans la cruche.

8° Dissoudre le sorbate de potassium (sachet n° 5) dans un peu d'eau et l'ajouter au vin.

9° Laisser reposer 2 semaines jusqu'à ce que le vin soit bien clarifié et embouteiller. Pour cette dernière opération, reportez-vous aux **Instructions pour l'embouteillage** données à la fin de ce chapitre.

RECETTE TYPE N° 7

Vin de jus de raisin concentré
(recette générale)

Cette recette convient à tous les concentrés. Si vous avez une boîte de concentré qui ne donne aucune indication sur la quantité de sucre, de tanin ou d'acides organiques à ajouter, vous pouvez suivre cette recette.

L'expérience aidant, on s'est aperçu que le vin obtenu à partir d'un concentré de jus de raisin était souvent meilleur si le concentré était dilué un peu plus que nécessaire pour reconstituer le jus original. Normalement, si à partir de 4 litres de jus on a fabriqué 1 litre de concentré, on devrait mélanger 3 litres d'eau au litre de concentré et obtenir ainsi 4 litres de jus à fermenter. Cependant, il est généralement préférable d'ajouter non pas 3 mais 4 litres d'eau pour diluer le concentré et obtenir ainsi 5 litres de jus un peu plus dilué que le jus original, puis de corriger les effets de cette trop grande dilution en rajoutant du sucre, des acides organiques et du tanin.

INGRÉDIENTS

• Concentré (1 boîte)	2,8 l	100 oz liq
• Eau	à déterminer	
• Sucre	à déterminer	
• Mélanges d'acides	à déterminer	
• Tanin	à déterminer	
• Éléments nutritifs	10 ml	2 c. à thé
• Pectinase	5 ml	1 c. à thé
• Levure à vin	1 sachet	
Densité initiale :	1,090	90°
Densité finale :	0,995	−5°

Atténuation :	95°
Teneur en alcool :	12%
Acidité :	à déterminer

Préparation du moût

1° Verser la boîte de concentré dans le seau qui servira à la fermentation principale.

2° Ajouter 4 boîtes d'eau et brasser pour dissoudre.

3° Mesurer la densité; si elle est supérieure à 1,065, ajouter de l'eau graduellement pour atteindre cette valeur. Le concentré sera alors suffisamment dilué.

4° Ajouter ensuite du sucre par petites doses afin d'augmenter la densité à 1,090. Remuer entre chaque addition de sucre pour dissoudre le mélange, sans quoi les mesures de densité ne seront pas exactes. De 5 à 6 tasses de sucre devraient suffire.

5° Mesurer l'acidité et en rectifier le niveau, s'il y a lieu, par addition d'un mélange d'acides, comme il est indiqué au chapitre VIII; l'acidité recommandée est de 6,5 grammes par litre (0,65%) pour un vin rouge léger et 7,5 grammes par litre (0,75%) pour un vin blanc léger. Pour une recette de 20 litres (4,4 gallons), l'addition de 20 ml (4 c. à thé) du mélange d'acides organiques suggéré dans ce livre augmentera l'acidité de 1 gramme par litre (0,1%).

6° Ajouter 5 ml (1 c. à thé) de tanin pour un vin rouge ou 2,5 ml (1/2 c. à thé) pour un vin blanc.

7° Ajouter les éléments nutritifs pour levures : soit 5 ml (1 c. à thé) de phosphate diammonique et 5 ml (1 c. à thé) d'extrait de levure, soit 10 ml (2 c. à thé) d'un mélange d'éléments nutritifs vendus dans le commerce.

FERMENTATION

Suivre les **Instructions pour la conduite de la fermentation** données à la fin de ce chapitre.

INSTRUCTIONS POUR LA CONDUITE
DE LA FERMENTATION

1. Addition des levures

Après avoir mélangé les ingrédients, ajouter le sachet de levure. La température du moût devrait être environ de 20 à 25 °C (68 à 77 °F) pour les vins rouges. Pour les vins blancs, il est préférable de ne pas dépasser 20 °C (68 °F).

Couvrir d'une feuille de plastique le contenant qui servira à la fermentation; attacher soigneusement le plastique pour éviter toute contamination.

2. Fermentation principale

La fermentation principale devrait débuter en moins de 24 heures; une fine mousse apparaîtra, puis deviendra de plus en plus abondante et pourra atteindre 7 centimètres (3 pouces) d'épaisseur.

Laisser la fermentation principale se poursuivre dans le contenant ouvert durant 5 à 7 jours au maximum ou jusqu'à ce que la densité atteigne 1,025 (25°).

3. Premier soutirage

La fermentation principale une fois terminée, soutirer le vin dans la cruche en verre qui servira à la fermentation secondaire, afin de le maintenir à l'abri de l'air.

Ne pas agiter le dépôt de lie qui s'est formé au fond du récipient en plastique.

Lors de ce premier soutirage, on peut omettre l'addition de métabisulfite, surtout si le concentré en contenait déjà, car la quantité de gaz carbonique présente suffit à empêcher le vin de s'oxyder.

Fixer une bonde aseptique sur la cruche. Remplir la bonde d'une solution de métabisulfite de potassium.

À ce stade, la cruche ne devrait pas être remplie complètement, car on doit prévoir un espace pour le col de mousse qui se formera; toutefois, dès que la quantité de mousse diminue, on ajoutera de l'eau de façon à remplir la cruche.

4. Fermentation secondaire

Laisser la fermentation secondaire se poursuivre durant un mois au moins, ou jusqu'à ce que la densité atteigne 0,995 (-5°) ou moins. À ce moment il ne devrait plus y avoir de bulles de gaz carbonique qui montent le long des parois ou, tout au moins, leur quantité devrait être très faible.

5. Deuxième soutirage

Soutirer à nouveau pour éliminer le dépôt de lie qui s'est formé durant la fermentation secondaire. Au préalable, on aura ajouté dans la cruche où le vin sera transvasé, 2 comprimés Campden écrasés ou 1 millilitre (1/4 c. à thé) de métabisulfite en poudre dilué dans une tasse d'eau.

Remarque: Si l'on ne dispose pas de deux cruches, on peut d'abord soutirer le vin dans le récipient en plastique utilisé pour la fermentation principale, nettoyer ensuite la cruche, puis y remettre le vin. Cependant, ces manipulations supplémentaires risquent de contribuer à oxyder le vin.

6. Maturation

Laisser vieillir 4 mois jusqu'à ce que le vin soit bien clarifié et procéder à l'embouteillage en suivant les instructions données plus loin.

INSTRUCTIONS POUR L'EMBOUTEILLAGE

1. Méthode à suivre

1. Ajouter au vin, quelques heures avant l'embouteillage, 2 comprimés Campden écrasés ou 1 millilitre (1/4 de c. à thé) de métabisulfite en poudre dilué dans une tasse d'eau.

2. Stériliser les bouchons de liège en les faisant tremper durant une heure dans une solution de métabisulfite de potassium que l'on aura préparée en ajoutant à un litre (4 tasses) d'eau 2 comprimés Campden ou 1 millilitre (1/4 c. à thé) de métabisulfite en poudre. Ce trempage sert également à assouplir les bouchons.

3. Soutirer le vin dans les bouteilles; les remplir jusqu'à 5 centimètres (2 pouces) du bord.

4. Poser les bouchons à l'aide d'un instrument spécial. On peut utiliser de la glycérine pour lubrifier les bouchons afin de faciliter leur insertion dans le goulot des bouteilles.

5. Laisser les bouteilles debout durant 24 heures après le bouchage pour éviter que le vin ne suinte entre le bouchon et le goulot de la bouteille, sous l'effet de la pression de l'air qui a été comprimé lors du bouchage. Après cette période, entreposer les bouteilles en les couchant; ce faisant, les bouchons ne risqueront pas de sécher, car la partie intérieure du bouchon demeure mouillée par le vin.

6. Laisser vieillir le vin de 3 à 6 mois dans un endroit frais, à environ 15 °C (60 °F).

Note: On peut, si on le désire, ajouter, en plus du métabisulfite, de la vitamine C lors de l'embouteillage; le dosage de celle-ci est suggéré au chapitre IV. Cet ajout est utile surtout dans le cas des vins blancs, particulièrement sensibles à l'oxydation.

2. Précautions à prendre

Lors de l'embouteillage, il faut veiller à ne pas trop agiter ou remuer le vin, car, à ce stade, il est très sensible à l'oxydation.

Avant d'embouteiller un vin, on devrait toujours mesurer la densité finale afin de s'assurer que la fermentation est complétée et qu'il ne contient plus de sucre. Si c'est le cas, la densité finale devrait être au dessous de 1,000 (0°), soit à environ 0,995 (-5°). Une densité plus élevée révèle la présence de sucre, donc la possibilité d'une reprise de la fermentation après embouteillage, ce qui pourrait provoquer l'éclatement des bouteilles sous l'effet de la pression du gaz carbonique.

VIII

LA MESURE DE L'ACIDITÉ

L'influence des acides organiques sur le goût du vin n'est plus à démontrer. Un vin trop acide heurte le palais par sa verdeur agressive, alors qu'un vin insuffisamment acide a une saveur fade et insipide. En plus de leur influence sur la sapidité, les acides organiques en ont sur le développement des bactéries nuisibles; en effet, ces dernières croissent difficilement en milieu acide. Voilà autant de raisons de s'assurer que le moût contient une quantité suffisante d'acides organiques et ce, avant même que ne débute la fermentation.

On ne peut évaluer la quantité d'acides organiques présente dans un moût uniquement en y goûtant, car le sucre masque le goût de ces acides. Ce n'est qu'à la fin de la fermentation, lorsque le sucre a été transformé en alcool, que le goût des acides se manifeste dans le vin nouveau. Mais à ce stade, il est tard pour ajuster l'acidité du moût.

141

1. LES ACIDES ORGANIQUES

Les principaux acides organiques contenus dans le raisin sont, par ordre d'importance, l'acide tartrique, l'acide malique et, en très faible quantité, l'acide citrique.

L'acide tartrique

Après l'eau et l'alcool, l'acide tartrique est l'un des composés les plus important du vin. Cet acide organique naturel est présent dans le raisin en quantités variables. Des raisins trop mûrs n'en contiendront pas assez et vice versa.

L'acide tartrique se retrouve en solution dans le moût lorsque les raisins sont écrasés et y demeure habituellement jusqu'à la fin de la fermentation, pour se retrouver intact dans le vin lui-même. Cependant, si la quantité d'acide tartrique est très grande, on assiste à un phénomène curieux; il précipite sous forme de cristaux solides qui se retrouveront avec la lie au fond des cuves de fermentation. Ces cristaux, nommés algol, sont des cristaux de bitartrate de potassium ou de tartrate de calcium, deux sels de l'acide tartrique.

Ce phénomène est utile, car il permet d'éliminer le surplus d'acide tartrique que contient un moût. Sans cette élimination, le vin serait trop acide. Parfois, on provoque délibérément cette précipitation de l'acide tartrique en exposant le vin au froid, à des températures aussi basses que 0 °C (32 °F).

L'acide malique

L'acide malique, autre acide organique naturel, est également présent dans le raisin et le vin. Contrairement à l'acide tartrique, un surplus d'acide malique ne peut être éliminé par précipitation.

Cependant il arrive qu'une partie de l'acide malique puisse être transformée en un autre acide organique sous l'action de certaines bactéries. On donne le nom de fermentation malolactique à cette fermentation au cours de laquelle l'acide malique est transformé en acide lactique et en gaz carbonique. Comme l'acidité de l'acide lactique formé est moindre que celle de l'acide malique, cette fermentation a pour effet de rendre le vin moins acide.

Comme la fermentation malolactique se produit souvent en même temps que la fermentation alcoolique, elle passe généralement inaperçue. Mais il arrive parfois que dans un vin sec qui ne contient plus de sucre et dont la fermentation alcoolique était depuis longtemps terminée, on voit réapparaître des bulles de gaz carbonique le long des parois de la cruche; il se peut alors que ce regain de fermentation soit dû à une fermentation malolactique.

Pour certains vins, en particulier les vins trop acides, cette reprise de la fermentation malolactique après la fin de la fermentation secondaire est souhaitable, alors que dans d'autres cas elle est nocive. C'est ce qui explique en partie les commentaires divergents rencontrés sur ce sujet dans différents livres.

De plus — et même dans les cas où un début de regain de fermentation malolactique pourrait être bénéfique —, si cette dernière se poursuit trop longtemps et n'est pas arrêtée à temps, des arrière-goûts désagréables risquent d'affecter le vin.

Voici une règle générale à suivre: si la fermentation reprend dans un vin sec après une période d'arrêt, il s'agit probablement d'une fermentation malolactique et on devra s'employer à l'arrêter, à moins que le vin ne soit très acide. Il est heureusement, très facile d'arrêter une fermentation malolactique en ajoutant au vin 2,5 millilitres (1/2 c. à thé) de métabisulfite de potassium.

L'acide citrique

Comme son nom l'indique, cet acide est surtout présent dans le citron et les autres agrumes. Ce n'est qu'en très faible quantité qu'on le retrouve dans le raisin et dans le vin. Il sert néanmoins à ajuster l'acidité des moûts de concentrés avant la fermentation. Cependant, c'est le moins bon des trois acides organiques à utiliser à cette fin. Il ne doit jamais être employé seul, mais toujours mélangé aux acides tartrique et malique.

Le peu d'acide citrique présent dans le raisin est décomposé lors de la fermentation malolactique en acide acétique, un acide peu désirable en grande quantité dans le vin. L'emploi de l'acide citrique peut se justifier seulement pour ajuster l'acidité des moûts de concentré pour lesquels il n'y a habituellement pas de fermentation malolactique. On ne doit pas l'utiliser pour les vins faits à partir de raisins.

2. ACIDITÉ ET TENEUR EN ACIDES ORGANIQUES

Lorsqu'il est question d'acidité dans ce livre, il s'agit de la teneur en acides organiques, c'est-à-dire de la quantité d'acides organiques contenue dans un volume déterminé. Par exemple, si à un litre d'eau on ajoute 10 grammes d'acide tartrique, l'acidité du mélange ou sa teneur en acides organiques sera de 10 grammes par litre ou de 1%. La teneur en acides organiques, est exprimée soit en pourcentage, soit en grammes d'acide par litre (symbole g/l).

Cependant, dans le cas d'un moût ou d'un vin, l'acidité n'est pas due, comme dans l'exemple précédent, à la présence d'un seul acide, mais bien de plusieurs acides organiques; en outre, chacun de ces acides contribue de façon différente à l'acidité du moût, car ils sont de forces différentes. Certains sont plus «acides» que d'autres! Pour une même quantité ajoutée au moût, l'acidité sera plus élevée pour un acide que pour un autre.

Comme il serait ardu de mesurer et de donner la teneur de chacun de ces acides, on adopte une façon plus simple d'obtenir la teneur en acides organiques: elle consiste à mesurer ensemble tous les acides et à exprimer le résultat comme si leur effet total était dû à la seule présence d'acide tartrique. On parle alors d'acidité totale. Lorsqu'on mesure l'acidité totale d'un moût, on exprime les résultats en équivalent d'acide tartrique. Ainsi, une valeur de 10 grammes par litre ou 1% d'acidité totale signifie que l'acidité mesurée est équivalente à celle donnée par 10 grammes par litre d'acide tartrique, bien qu'en réalité l'acidité mesurée puisse être due à la présence simultanée d'acide malique et d'acide tartrique.

De même, si l'acidité totale d'un vin est de 0,5% ou de 5 g/l en équivalent d'acide tartrique, cela signifie que l'acidité totale des acides malique, tartrique, succinique, lactique et acétique qu'il contient est équivalente à celle donnée par 5 grammes d'acide tartrique.

Toutes les mesures d'acidité données dans ce livre sont en équivalent d'acide tartrique; en cela, nous nous conformons à l'usage nord-américain.

En France, l'acidité est mesurée en équivalent d'acide sulfurique; cet acide ne se retrouve évidemment pas dans le vin, mais il est quand même utilisé comme point de comparaison. Pour convertir en équivalent d'acide tartrique des valeurs exprimées en équivalent d'acide sulfurique, il faut diviser ces dernières par 0,65.

3. NIVEAU D'ACIDITÉ SOUHAITABLE

L'acidité initiale d'un moût devrait être plus élevée pour les vins blancs que pour les vins rouges. De plus, les vins corsés de forte teneur en alcool exigent une plus forte acidité. Cependant on peut ajuster l'acidité initiale à 0,7 %, soit 7 grammes par litre, pour tous les types de vin sans se tromper de beaucoup. Le tableau suivant propose des valeurs d'une précision plus grande.

Acidité du moût avant fermentation

Ingrédients de base	Vin rouge		Vin blanc	
	léger	corsé	léger	vif
Concentré	0,55 %	0,70 %	0,65 %	0,75 %
	5,5 g/l	7,0 g/l	6,5 g/l	7,5 g/l
Raisins	0,65 %	0,75 %	0,75 %	0,85 %
	6,5 g/l	7,5 g/l	7,5 g/l	8,5 g/l

On notera qu'il s'agit là de valeurs pour l'acidité du moût *avant* la fermentation; l'acidité du vin obtenu sera plus faible et cela est dû en particulier à la précipitation de l'acide tartrique sous forme de tartrate et à la fermentation malolactique. Le tableau suivant donne des valeurs caractéristiques pour un vin prêt à boire.

Acidité du vin

	minimale	maximale
Vin rouge	3,5 g/l	5,5 g/l
Vin blanc	5,5 g/l	7,5 g/l

4. MESURE DE L'ACIDITÉ TOTALE

L'acidité totale d'un moût se mesure à l'aide d'une trousse de mesure d'acidité vendue dans les boutiques spécialisées, et qui renferme le matériel et les produits chimiques nécessaires.

La méthode de mesure de l'acidité totale d'un moût fait appel à un indicateur liquide, la phénolphtaléine ; cette substance possède la propriété de changer de couleur selon l'acidité du milieu où elle se trouve. En milieu acide, la phénolphtaléine est incolore, alors qu'en milieu alcalin (non acide), elle devient rouge.

Si l'on ajoute quelques gouttes de cet indicateur à un vin blanc, donc acide de nature, le mélange demeure incolore. Par contre, si l'on ajoute quelques gouttes de phénolphtaléine à un liquide alcalin, de l'eau de Javel par exemple, le mélange se colore en rouge.

La méthode de mesure de l'acidité est la suivante :

a) on prélève un échantillon de vin auquel on ajoute quelques gouttes de l'indicateur ;

b) on ajoute petit à petit une solution alcaline qui a pour effet de neutraliser les acides présents, et cela jusqu'à ce que l'acidité du vin soit complètement neutralisée, ce qui nous est signalé par le changement de couleur de l'indicateur ;

c) la quantité de solution alcaline qu'il a fallu ajouter nous indique la quantité d'acides organiques présente dans le vin. Si le moût ou le vin contiennent beaucoup d'acides organiques, il faudra ajouter beaucoup de solution alcaline pour en neutraliser l'acidité ; s'ils en contiennent peu, il en faudra moins.

La solution alcaline habituellement utilisée est une solution d'hydroxyde de sodium (NaOH) de concentration décinormale (0,1 N ou N/10).

147

Matériel nécessaire

Seringue graduée en plastique

Petit flacon transparent

Solution d'hydroxyde de sodium (N/10)

Phénolphtaléine

Compte-gouttes

Méthode utilisée

1° À l'aide de la seringue en plastique, prélever 10 millilitres de vin qui seront introduits dans le petit flacon transparent.

2° S'il s'agit d'un vin ou d'un moût rouge, ajouter 15 millilitres d'eau (de préférence distillée).

3° À l'aide du compte-gouttes, ajouter ensuite 3 gouttes de phénolphtaléine.

4° Rincer la seringue à l'eau, puis la remplir avec 10 millilitres de la solution d'hydroxyde de sodium.

5° Ajouter au vin un millilitre d'hydroxyde de sodium. On notera, au point où l'hydroxyde tombe dans le vin, une traînée de couleur rose pour un vin blanc ou grise pour un vin rouge.

6° Remuer légèrement, cette couleur disparaîtra.

7° Continuer d'ajouter l'hydroxyde de sodium petit à petit, soit un millilitre à la fois (ou mieux un demi-millilitre), jusqu'à ce que la coloration ne disparaisse plus lors du mélange et que tout l'échantillon de vin prenne une couleur uniforme, rose ou grise.

8° Noter le nombre de millilitres d'hydroxyde utilisé.

9° Multiplier le nombre de millilitres d'hydroxyde utilisé par le facteur 0,75 pour obtenir l'acidité totale en gramme par litre. Par exemple, si l'on a dû ajouter

9 millilitres d'hydroxyde de sodium, l'acidité totale est de 6,7 g/l, ou 9 multiplié par 0,75.

Lorsqu'il s'agit de vins ou de moûts rouges, le changement de couleur n'est pas aussi facile à distinguer. On peut incliner la bouteille et mirer une mince épaisseur du liquide au point de contact du liquide et de la paroi, la teinte gris foncé ressortira mieux.

Il faut savoir que la présence de gaz carbonique affecte les propriétés de la phénolphtaléine. Si l'on veut mesurer l'acidité d'un moût en cours de fermentation, on doit en éliminer le gaz carbonique. Pour ce faire, il existe deux méthodes:

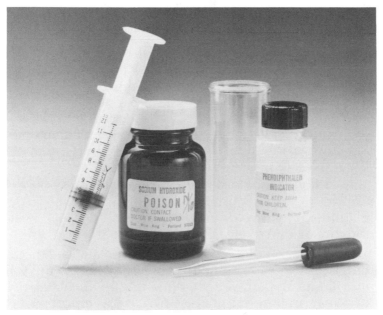

Trousse de mesure de l'acidité totale. Seringue, solution d'hydroxyde de sodium, flacon transparent, phénolphtaléine et compte-gouttes.

a) mesurer un volume donné de vin, l'amener à ébullition pendant quelques instants afin d'en chasser le gaz carbonique et enfin le ramener à son volume initial par addition d'eau, pour compenser l'évaporation;

b) filtrer le vin au travers d'une couche d'ouate déposée au fond d'un entonnoir.

Variantes de la méthode utilisée

Il existe des variantes de cette méthode et les modifications apportées sont mineures. Nous les mentionnons ici afin que le lecteur ne soit pas surpris de constater que les instructions contenues dans la trousse de mesure d'acidité diffèrent quelque peu de celles que nous avons données plus haut.

Au lieu d'utiliser 10 ml de vin à l'étape 1, on n'en prélève que 5 ml; il faut alors multiplier le nombre de millilitres d'hydroxyde utilisé par le facteur 0,15 pour obtenir l'acidité totale. Cette façon de procéder a l'inconvénient qu'une légère erreur sur le volume de vin mesuré initialement influence fortement la valeur trouvée pour l'acidité totale.

Au lieu d'utiliser 10 ml de vin à l'étape 1, on en prélève 15 ml; il faut alors multiplier le nombre de millilitres d'hydroxyde utilisé par le facteur 0,1 pour obtenir l'acidité totale.

Au lieu d'utiliser 15 ml d'eau à l'étape 2 pour diluer les moûts ou vins rouges, on peut en utiliser plus. Il faut se rappeler, cependant, que plus la quantité d'eau utilisée est grande, plus il est important de se servir d'eau distillée, car l'eau du robinet, légèrement alcaline, faussera quelque peu les résultats obtenus.

5. CORRECTION DE L'ACIDITÉ TOTALE

Deux cas peuvent se présenter : le moût ne contient pas suffisamment d'acides organiques ou il en contient trop.

Correction des moûts déficients en acides organiques

Pour corriger un moût de concentré dont la teneur en acides organiques est insuffisante, nous recommandons l'addition d'un mélange des trois acides organiques présents dans le raisin.

La composition du mélange est la suivante :

- 3 parties d'acide tartrique,
- 2 parties d'acide malique,
- 1 partie d'acide citrique.

Les mélanges d'acides vendus sur le marché conviennent habituellement ; cependant certains de ces mélanges contiennent une proportion trop élevée d'acide citrique, ce dernier étant le moins coûteux des trois.

Pour corriger les moûts de raisins dont l'acidité est trop faible, on utilise soit de l'acide tartrique seul, soit un mélange d'acides tartrique et malique (sans acide citrique).

L'addition de 1 millilitre (1/4 de c. à thé) du mélange de ces deux acides, ou d'acide tartrique seul, par litre de moût augmentera l'acidité totale de 1 g/l ou 0,1 %.

Le tableau suivant donne la quantité d'acide tartrique, ou celle du mélange d'acides recommandé pour élever le taux d'acidité du moût à 0,7 % ou 7 g/l, et ce, pour 20 litres (4,4 gallons) de moût :

Correction de l'acidité du moût

| Acidité mesurée | | Volume en | Volume en |
%	g/l	millilitres	c. à thé
0,2	2	100	20
0,3	3	80	16
0,4	4	60	12
0,5	5	40	8
0,6	6	20	4
0,7	7	0	0

Correction des moûts trop acides

Cette correction ne se fait, le cas échéant, que pour les moûts de raisins.

Il existe différentes façons de corriger un moût trop acide :

1° *Addition de carbonate de calcium.* Ce composé chimique a la propriété de neutraliser les acides organiques. Il est préférable de corriger l'acidité du moût avant la fermentation et d'ajouter le carbonate de calcium au moût plutôt qu'au vin. L'addition d'environ 1 millilitre (1/4 c. à thé) de carbonate de calcium par litre de moût diminuera l'acidité totale de 0,1 %, soit 1 g/l.

2° *Précipitation de l'acide tartrique par exposition au froid.* La fermentation terminée, le vin nouveau est exposé à des températures d'environ 0 °C (32 °F) durant 2 ou 3 semaines, afin d'accélérer la précipitation de l'acide tartrique sous forme de tartrate.

3° *Fermentation malolactique.* Bien qu'il soit difficile de provoquer la fermentation malolactique, on peut créer des conditions favorables à son apparition en n'utilisant que de faibles doses de métabisulfite et en désacidifiant le moût à l'aide de carbonate de calcium. Les bactéries lactiques se développent mieux dans un milieu peu acide.

Le tableau ci-après donne la quantité de carbonate de calcium à ajouter à 20 litres (4,4 gallons) de moût pour abaisser son niveau d'acidité à 0,7 % ou 7 g/l.

Correction de l'acidité du moût

Acidité mesurée		Volume en	Volume en
%	g/l	millilitres	c. à thé
0,7	7	0	0
0,8	8	25	5
0,9	9	50	10
1,0	10	75	15

IX

LE VIN DE RAISIN

Après avoir réussi à fabriquer du vin à base de concentré de jus de raisin, nombreux sont les amateurs qui voudront essayer d'en faire à partir du raisin lui-même. Ce chapitre leur est destiné.

1. LA GRAPPE DE RAISIN

L'ingrédient de base utilisé pour la fabrication du vin n'est pas le jus de raisin, mais, nuance! le grain de raisin entier et même toute la grappe dans certains cas.

Les vins blancs sont généralement obtenus par fermentation du jus provenant de raisins pressés, mais les vins rouges proviennent de la fermentation des raisins écrasés entiers.

La grappe de raisin comprend deux parties, les rafles et les raisins. Chaque grain de raisin se compose de la peau ou pellicule qui recouvre le grain, de la pulpe ou intérieur du grain et des pépins. Quelle est la contribution de chacun de ces éléments aux caractéristiques du vin?

Les rafles

Les rafles ou tiges ligneuses qui retiennent les raisins en grappe contiennent du tanin en proportion suffisante pour affecter le goût du vin. Le tanin a une saveur amère et les vins rouges lui doivent leur astringence.

Lors de la fermentation des vins rouges, les raisins peuvent être partiellement ou totalement éraflés et la quantité de tanin donné au vin par les rafles varie selon la quantité de rafles et le temps durant lequel elles entrent en contact avec le moût en fermentation. On notera que les rafles peuvent contenir jusqu'à 3,5% de tanin.

Lors de la fabrication des vins blancs, les raisins ne sont pas éraflés mais écrasés et pressés immédiatement; les rafles n'ont donc pas le temps de macérer dans le jus et de communiquer leur saveur tannique au vin. C'est pourquoi on ne se donne pas la peine de les enlever.

La peau ou pellicule du raisin

La peau du raisin est recouverte d'une fine poudre cireuse qui y adhère, donnant parfois l'impression que le raisin est recouvert d'une légère buée. Cette poudre blanchâtre, appelée pruine, est surtout formée de cellules mortes provenant de la peau, mais on y retrouve aussi des levures sauvages et des bactéries. Parfois, mais ce n'est pas toujours le cas, ces levures peuvent faire fermenter le raisin avec succès et produire un bon vin. Dans l'incertitude, il est préférable d'ajouter au moût des levures cultivées dont on connaît les propriétés.

La peau du raisin contient des pigments qui sont à l'origine de la coloration des vins rouges et rosés. Si l'on écrase un grain de raisin à vin, on constate que, bien que la peau soit d'un bleu foncé presque noir, la pulpe elle-même est toujours blanche ou vert pâle. Il existe quelques exceptions à cette règle; certains raisins dits teinturiers ont une pulpe rouge; ils ne peuvent donc être utilisés que pour la vinification en rouge.

Puisque la peau du raisin donne au vin sa couleur, il est compréhensible que l'on puisse utiliser des raisins rouges, bleus ou noirs pour fabriquer des vins blancs. Si les raisins sont pressés immédiatement après avoir été écrasés, les peaux n'auront pas le temps de libérer leurs pigments dans le jus. À l'inverse, pour les vins rouges, on laisse les peaux dans le moût en fermentation durant plusieurs jours afin d'en extraire les pigments. L'alcool produit lors de la fermentation agit comme solvant et contribue à accélérer le processus.

Les pellicules contiennent de 1 à 2% de tanin. Tout comme les rafles, plus longtemps elles seront en contact avec le moût, plus elles communiqueront de tanin au vin.

La pulpe

La pulpe renferme, par ordre décroissant d'importance, de l'eau, du sucre et des acides organiques. Un grain de raisin bien mûr contiendra environ 75% d'eau, 20% de sucre et 1% d'acides organiques ainsi qu'une multitude d'autres composés dans des proportions plus faibles.

Les pépins

Les pépins n'ont que peu d'effet sur le goût du vin. Le tanin qu'ils contiennent n'est pas libéré lors de la fermentation, à moins qu'ils n'aient été écrasés. On doit donc prendre des précautions pour éviter de les écraser lors du foulage, car la quantité de tanin fournie par les peaux de raisins et les rafles est suffisante à elle seule.

2. LES CÉPAGES

Le nombre de cépages ou variétés de raisins en vente sur le marché augmente chaque année. On distingue deux grandes catégories :

• Les cépages en provenance de Californie — issus de la vigne européenne — que l'on retrouve sur tous les marchés.

• Les cépages hybrides cultivés dans l'Est des États-Unis et la région du Niagara au Canada ; le plus souvent, ils ne sont disponibles que sur les marchés locaux.

Les raisins (Vitis vinifera) *de Californie*

Parmi les cépages de Californie à utiliser pour la vinification en rouge, on trouve l'Alicante Bouschet, le Barbera, le Cabernet Sauvignon, le Merlot, le Pinot noir, le Ruby Cabernet et le Zinfandel. Mentionnons aussi le Carignan, appelé Carignane en Californie ; de couleur assez pâle, il sert généralement comme raisin de coupage ou d'assemblage, c'est-à-dire mélangé avec d'autres variétés de raisins.

Si l'on désire faire un rosé, les meilleurs cépages sont le Grenache ou le Zinfandel.

Le nombre de cépages blancs mis sur le marché est plus faible. Le choix se limite habituellement au Sauvignon blanc, au Sauvignon vert et au Muscat. Le Muscat est un bon cépage pour produire un vin liquoreux, mais convient moins bien pour un vin de table léger et sec. Par ailleurs, nous l'avons vu précédemment, certains vins blancs sont faits à base de raisins rouges.

Ces raisins sont importés en automne de Californie spécialement pour les amateurs qui désirent faire leur propre vin. Excepté pour l'Alicante Bouschet qui est un cépage hybride, tous sont des variétés de raisins à vin de l'espèce *Vitis vinifera* qui, bien que cultivés en Californie, sont d'origine européenne; ce ne sont pas des variétés de raisins de table ni des variétés de raisins d'origine nord-américaine appartenant à l'espèce *Vitis labrusca*. La distinction entre les différentes espèces de vignes a été faite au chapitre I.

Le climat de Californie assure un ensoleillement tel que l'on est pratiquement toujours assuré de la teneur en sucre et de l'acidité adéquates du raisin californien. Bon an, mal an, le moût obtenu de ces raisins devrait avoir une densité allant de 1,080 à 1,100 et une acidité allant de 6 à 8 grammes par litre (0,6 à 0,8%) et ce, sans aucune addition de sucre ou d'acide tartrique. C'est pourquoi beaucoup d'amateurs réussissent à faire du bon vin avec ce raisin sans se soucier de mesurer et corriger, s'il y a lieu, la teneur en sucre et l'acidité du moût. On notera cependant qu'il y a toujours un risque à se passer de ces précautions.

Les caractéristiques des cépages californiens les plus courants sur le marché sont données ci-dessous :

Alicante Bouschet

- cépage hybride de qualité moyenne;

- raisin teinturier, c'est-à-dire un raisin rouge à jus rouge qui ne doit donc être utilisé que pour les vins rouges;

- produit un vin corsé d'un rouge prononcé;

159

- à mélanger avec d'autres raisins moins colorés dans une proportion de 25 % ;
- a l'avantage de bien se conserver durant le transport.

Barbera
- raisin rouge qui donne un vin rouge foncé, acide et fruité ;
- mélangé avec un raisin sans caractère spécial, tel le Carignan, il donne un vin plus souple.

Cabernet Sauvignon
- raisin à vin rouge qui produit un excellent vin d'un rouge moyen ;
- modérément acide et à saveur herbacée, il gagne à être éraflé au moins partiellement ;
- l'un des meilleurs cépages de Californie ;
- peut être vinifié seul ou mélangé avec un autre cépage ;
- mélangé avec le Merlot (75 % Cabernet et 25 % Merlot), il donne un vin plus souple. Les vins de Bordeaux sont un mélange de ces deux cépages.

Carignan
- cépage sans caractère distinctif qui produit un vin peu coloré ;
- ne doit pas être utilisé seul, mais comme raisin d'assemblage, mélangé à d'autres cépages ;
- doit être éraflé, si possible ;
- convient aussi pour le rosé.

160

Grenache
- raisin au goût fruité qui donne des vins d'un rouge léger ;

- souvent vinifié en rosé ;

- utilisé pour un vin rouge, il doit être mélangé avec d'autres cépages, car il est peu coloré.

Merlot
- raisin bleu-noir qui produit de bons vins moelleux ;

- produit un excellent vin, lorsqu'il est mélangé au Cabernet Sauvignon.

Mission
- raisin sans caractère particulier, utilisé surtout pour les vins de dessert ;

- produit des vins de table rouges peu colorés.

Muscat
- raisin blanc à l'arôme caractéristique ;

- donne un vin à saveur très prononcée ;

- recommandé pour des vins doux et liquoreux plutôt que pour des vins de table secs.

Palomino
- appelé aussi *Golden Chasselas* ;

- raisin à vin blanc sans saveur caractéristique, utilisé surtout pour les vins de dessert ;

- peu acide, tend à donner des vins sans caractère s'il est utilisé seul.

Pinot noir
- cépage des vins de Bourgogne; cultivé en Californie, il donne des vins d'un rouge léger à l'arôme caractéristique;
- peut être vinifié seul.

Ruby Cabernet
- raisin à vin rouge qui donne des vins au goût prononcé et tannique;
- hybride du Cabernet Sauvignon et du Carignan, il est parfois vinifié seul.

Sauvignon
- deux variétés sont cultivées en Californie; le Sauvignon blanc et le Sauvignon vert;
- fruité et légèrement herbacé, le Sauvignon blanc est le meilleur des deux.

Thompson seedless
- appelé aussi *Sultanina*;
- utilisé surtout pour la production de raisins secs plutôt que comme raisin à vin.

Zinfandel
- cépage d'origine italienne cultivé en Californie;
- arôme caractéristique épicé rappelant la framboise;
- produit des vins capiteux et corsés d'un rouge moyen;
- peut être vinifié en rouge, en rosé et même en blanc.

Les raisins issus de cépage hybride

Mentionnons tout d'abord qu'il existe plusieurs variétés de raisins hybrides cultivées en Amérique et que peu d'entre elles conviennent à la fabrication du vin. Ou bien elles ont été développées dans l'intention de produire un raisin de table plutôt qu'un raisin à vin, ou bien elles accusent la saveur caractéristique des cépages d'origine américaine dont elles sont issues, saveur peu prisée pour un raisin à vin. De plus, la présence de ces variétés sur le marché est assez rare.

On ne devrait jamais se risquer à faire du vin avec du raisin provenant de l'Est des États-Unis ou du Canada sans en avoir au préalable mesuré la teneur en sucre et l'acidité, car les raisins produits dans ces régions sont souvent peu sucrés et très acides. Le moût obtenu de ces raisins doit obligatoirement être corrigé.

La faible teneur en sucre de ces moûts se corrige soit par addition de sucre ou de concentré de jus de raisin, soit en mélangeant ces raisins provenant de cépages hybrides peu sucrés avec des raisins de Californie qui le sont plus. Cette dernière méthode est difficilement réalisable, car les raisins de Californie ne se trouvent pas toujours sur le marché à la même époque de l'année que les raisins hybrides.

L'acidité trop élevée de ces moûts se corrige en diluant le moût avec de l'eau, ou en faisant précipiter l'acide tartrique par exposition du vin au froid, dès que la fermentation terminée, ou encore en neutralisant le surplus d'acide présent dans le moût par addition de carbonate de calcium.

Ces correctifs ne sont pas sans présenter certains inconvénients :

- la dilution du moût avec de l'eau diminue l'acidité, mais risque de donner un vin insipide car elle dilue aussi tous les autres composants du moût ;

163

- l'addition d'une trop grande quantité de carbonate de calcium risque de laisser un arrière-goût au vin.

L'exposition au froid n'entraîne, par contre, aucun désagrément. Cependant, cette méthode ne peut diminuer l'acidité de plus de 1 gramme par litre, ou 0,1%.

Le mélange de cépages différents

Le mélange de cépages différents devrait être pratiqué de façon systématique par les fabricants de vin amateurs. Pour les vins vendus commercialement, le mélange des cépages est une opération fort répandue, surtout dans le cas de grands vins.

Pour les vins de moindre qualité, on ne se donne pas cette peine, mais une fois la fermentation terminée, on mélangera les vins eux-mêmes. Ainsi un vin trop acide sera ajouté à un vin qui ne l'est pas suffisamment, ou un vin trop léger sera marié à un vin très corsé, de sorte que le vin résultant de ce mélange sera mieux équilibré que les deux composants initiaux. Cette pratique est connue sous le nom de coupage ou d'assemblage.

3. LA FABRICATION DU VIN À PARTIR DE RAISIN

L'achat des raisins

Les raisins à vin se vendent à la caisse. Chaque caisse contient environ 16 kilogrammes (36 livres) de raisins et produit habituellement 10 litres de moût (2 gallons). Pour une recette de 20 litres (4,4 gallons), il faudra donc 2 caisses.

Toutefois il est possible de doubler la quantité de vin obtenue à partir d'une caisse de raisins en fabriquant une piquette, c'est-à-dire une seconde cuvée provenant des mêmes raisins.

L'éraflage ou égrappage

Après avoir choisi le ou les cépages qui conviennent au type de vin que l'on désire faire, les raisins doivent d'abord être éraflés ou égrappés avant d'être écrasés. L'éraflage se fait à la main. Dans le cas des vins rouges ou rosés, l'éraflage au moins partiel est indispensable. Les rafles contiennent du tanin qui se retrouvera dans le vin si on les laisse macérer dans le moût en fermentation. Il faut donc les enlever ou ne pas en laisser plus de 20 % environ, à moins de vouloir délibérément augmenter de façon sensible la quantité du tanin dans le vin.

Dans le cas des vins blancs, on peut s'éviter cette peine, car les raisins sont pressés immédiatement après avoir été foulés et seul le jus est fermenté ; les rafles n'ont donc pas le temps de communiquer leur tanin au vin. Mais comme, bien souvent, on utilisera la pulpe pour fabriquer une piquette, il est préférable d'érafler les raisins.

On éliminera aussi, au moment de l'éraflage, les grappes de raisins moisis ou pourris.

Le foulage

Le foulage est l'opération qui consiste à écraser les raisins afin qu'ils puissent libérer leur jus. Tous les raisins doivent être écrasés, sans quoi le sucre qu'ils contiennent ne fermentera pas sous l'action des levures. Cependant le foulage ne doit pas être excessif. Un foulage bien fait devrait libérer la pulpe de tous les raisins sans déchiqueter les peaux ni écraser les

De gauche à droite : *pressoir à vis* utilisé pour presser de grandes quantités de raisin et *fouloir* fixé à un tonneau de bois. (Photo reproduite avec la permission de la revue *De la vigne au vin*.)

pépins, ce qui aurait pour effet de communiquer trop de tanin au vin.

La méthode et l'équipement utilisés varient selon la quantité de vin à faire.

Pour une recette de 20 litres (4,4 gallons), par exemple, les raisins sont déposés dans le récipient qui servira à la fermentation principale et sont écrasés à l'aide d'un bloc de bois ou d'un madrier servant de pilon. N'essayez pas de fouler tous les raisins à la fois. Mettez-en une épaisseur de 10 centimètres (4 pouces) au fond du récipient en plastique, foulez-les et recommencez l'opération avec une même quantité de raisins.

Si l'on a beaucoup de raisins à fouler, il est préférable d'acheter ou de louer un fouloir dans une boutique spécialisée. Cet appareil est constitué de deux rouleaux dentés que l'on fait tourner à l'aide d'une manivelle et entre lesquels les raisins sont écrasés.

La préparation d'un levain

Si l'on emploie un sachet de levures séchées, une période de 24 heures peut s'écouler avant que la fermentation ne débute. En effet, la quantité de levures ajoutée au moût est très faible et les levures doivent d'abord se multiplier. Pendant cette période de reproduction, la population de levures augmente très rapidement, mais peu d'alcool est produit; or ce n'est que lorsqu'il contient une quantité suffisante d'alcool que le moût résiste bien aux diverses sources de contamination.

Afin de raccourcir cette période dangereuse, on prépare un levain; c'est une petite quantité de moût (ensemencée avec une levure sèche) qui fermente activement et que l'on utilise pour ensemencer la totalité du moût. Avec les vins faits à partir de concentrés, il n'est pas nécessaire d'utiliser un levain, car

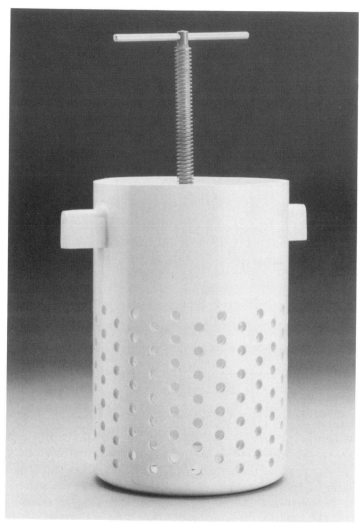

Pressoir à vis. Ce modèle est utilisé pour de
petites quantités de raisin.

le concentré est stérile, mais il est préférable d'en ajouter au moût des vins faits à partir de raisins.

Le levain est préparé 2 ou 3 jours d'avance en mélangeant un sachet de levures séchées à 2 litres de moût de concentré.

Le pressurage

Le pressurage est une opération qui consiste à presser les raisins écrasés afin d'en extraire:

a) le jus, si le pressurage a lieu avant la fermentation (vins blancs);

b) le vin, si le pressurage a lieu après la fermentation principale (vins rouges).

Pour pressurer les raisins foulés, on peut se servir d'un petit pressoir à vis ou encore les pressurer à la main après les avoir placés dans un sac en nylon. Pour des quantités beaucoup plus grandes de raisins, il vaut mieux acheter ou louer un pressoir plus gros dans une boutique spécialisée.

Lors du pressurage, les raisins écrasés sont déposés dans un sac en nylon qui est ensuite placé dans le pressoir. On serre la vis lentement, un tour à la fois, et on attend que le liquide s'écoule avant de donner un autre tour de vis. Pour extraire le maximum de jus, après le premier pressurage, on émiette le marc (nom donné au résidu formé par la pulpe, les peaux et les rafles) et on le presse à nouveau.

Pour les vins blancs, on pressure les raisins immédiatement après les avoir écrasés et c'est le jus seul qui sera mis à fermenter sous l'action des levures. Pour les vins rouges, les raisins ne seront pressurés qu'à la fin de la fermentation principale.

Le soutirage

On soutire les vins faits à partir de raisin de la même manière que les vins à base de concentré.

Mais l'opération est compliquée du fait que le moût des vins rouges contient, en plus du dépôt de levures, les débris des raisins foulés. Les peaux et les morceaux de pulpe écrasés flottent à la surface du moût où ils forment une couche épaisse et compacte que l'on nomme le chapeau, alors que les pépins gisent au fond avec les levures.

Lors du soutirage, il est nécessaire de maintenir l'extrémité du tube entre le chapeau et la lie. Ce n'est pas toujours facile, surtout vers la fin de l'opération. Il arrive fréquemment que des morceaux de peaux ou de pulpe viennent obstruer le tube. Pour éviter cela, on peut placer l'extrémité du tube rigide enfoncé dans le moût dans un sac en nylon à mailles suffisamment grandes pour laisser pénétrer le jus tout en s'opposant au passage des débris de raisins.

Une autre solution consiste à utiliser pour la fermentation principale un contenant muni à sa base d'un robinet qu'il suffira d'ouvrir pour laisser s'écouler le vin nouveau.

4. LA VINIFICATION EN ROUGE

Pour la vinification en rouge, les raisins sont foulés et l'on ajoute la levure directement à ce mélange de jus, de pulpe, de peaux et parfois de rafles de raisins.

Le gaz carbonique produit par les levures lors de la fermentation principale entraîne les débris (peaux, pulpe et rafles) à la surface du vin. Ils y forment une couche compacte, le chapeau, qui doit être enfoncé dans le moût au moins deux fois par jour, pendant toute la durée de la fermentation principale.

Les raisins seront fermentés durant un laps de temps qui variera de quelques heures à plus d'une semaine, selon la couleur du vin que l'on désire obtenir:

- 1 jour ou moins pour un vin rosé ;

- 3 jours pour un vin d'un rouge léger ;

- 5 jours pour un vin rouge plus foncé et tannique ;

- 7 jours et plus pour un vin corsé, tannique et fort en alcool, qui devra vieillir plus d'une année.

On notera que ces périodes sont calculées à partir du début de la fermentation et non à partir du moment où on ajoute les levures.

Lorsque la couleur obtenue est jugée satisfaisante, on procède au décuvage, opération par laquelle le vin en fermentation est séparé des raisins écrasés. On soutire le plus de vin possible et la pulpe restante, encore pleine de vin, est placée dans un sac en nylon pour être ensuite pressurée, afin d'en extraire tout le vin nouveau qu'elle contient.

Par contre, si l'on veut fabriquer une piquette ou une seconde cuvée avec les mêmes raisins, le vin nouveau est simplement soutiré et la pulpe restante, après addition d'eau, de sucre, d'acides organiques, de tanin et d'éléments nutritifs destinés aux levures, servira à faire une nouvelle cuvée de vin. Le vin obtenu par ce procédé est léger, faiblement alcoolisé (maximum 10 % d'alcool) et peu tannique. C'est néanmoins un bon vin ordinaire, prêt à boire en moins d'un an.

C'est lors de la fermentation principale que le vin rouge acquerra toutes les caractéristiques qui vont le différencier d'un vin blanc. Les grappes de raisins écrasés sont alors en contact avec l'alcool nouvellement formé, qui va dissoudre certaines substances responsables du goût caractéristique des vins rouges. C'est pour cette raison que périodiquement, le chapeau doit être enfoncé dans le moût. Il doit rester en contact avec le vin nouveau et non flotter à la surface du moût.

Parmi les substances que l'on retrouve dans le vin rouge après cette période de macération, mentionnons :

- les pigments d'où provient la couleur du vin rouge ;
- les tanins responsables de son amertume et de son astringence ;
- divers composés responsables de son arôme ;
- certains sels minéraux.

Une fois la fermentation principale complétée, on procède comme avec les vins à base de concentrés pour ce qui est de la fermentation secondaire, de la maturation et du vieillissement.

RECETTE TYPE N° 8

Vin rouge à base de raisin

Cette recette requiert 2 caisses de raisins de 16 kilogrammes (36 livres) chacune, soit 32 kilogrammes (72 livres) de raisins, et donnera 20 litres (4,4 gallons) de vin. Certaines étapes ou encore l'emploi de certains additifs sont classés comme facultatifs dans cette recette type ; pour se prononcer sur la pertinence de leur emploi, on se référera au chapitre qui en traite dans le détail.

1° ÉRAFLAGE
Érafler les grappes de raisins. Ne pas laisser plus de 20 % des rafles.
Enlever les grappes moisies ou pourries.

2° **FOULAGE**

Fouler les raisins. Tous les raisins doivent être écrasés, sans toutefois broyer les pépins ni déchiqueter les peaux.

Facultatif: Dissoudre 5 ml (1 c. à thé) de vitamine C dans 500 ml (2 tasses) d'eau et ajouter aux raisins écrasés au fur et à mesure du foulage, afin de prévenir l'oxydation.

3° **STÉRILISATION DU MOÛT**

Dissoudre 2 ml (1/2 c. à thé) de métabisulfite de potassium dans 250 ml (1 tasse) d'eau et ajouter au moût. Cette dose équivaut à 4 comprimés Campden.

4° **TENEUR EN SUCRE** (*facultatif*)

Mesurer la densité du moût et ajuster à 1,090 soit par addition de sucre, soit par addition d'eau.

5° **ACIDITÉ** (*facultatif*)

Mesurer l'acidité totale du moût et ajuster s'il y a lieu à 7 grammes par litre (0,7 %), par addition d'acide tartrique.

6° **PECTINASE**

Ajouter 5 ml (1 c. à thé) de pectinase.

7° **ADDITION DES LEVURES**

Ajouter un sachet de levure ou mieux un levain préparé 2 ou 3 jours à l'avance.

La température devrait être entre 20 et 30 °C (70 et 85 °F) et s'y maintenir durant toute la durée de la fermentation. La fermentation devrait commencer en moins de 24 heures.

Recouvrir d'une feuille de plastique le seau contenant le moût.

8° **FERMENTATION PRINCIPALE**

Enfoncer le chapeau dans le moût au moins deux fois par jour.

Laisser la fermentation se poursuivre durant une période allant de 3 à 7 jours, selon la couleur et le type de vin recherché. Habituellement, 4 jours après le début de la fermentation ou lorsque la densité atteint 1,020, on peut procéder au décuvage.

9° DÉCUVAGE

Séparer le vin nouveau des raisins écrasés par soutirage dans la cruche qui servira à la fermentation secondaire.

10° PRESSURAGE

Placer dans un sac en nylon les raisins écrasés restés au fond de la cuve de fermentation principale et pressurer-les pour extraire tout le vin.

Cependant, si vous désirez fabriquer une piquette, éliminer le pressurage et suivez les instructions de la recette type n° 10.

11° FERMENTATION SECONDAIRE

Ne pas emplir la cruche complètement afin d'éviter qu'elle ne déborde.

Installer des soupapes de fermentation.

Laisser la fermentation secondaire se poursuivre durant 10 à 15 jours.

Procéder au ouillage dès que la fermentation ralentit.

12° PREMIER SOUTIRAGE

Après 10 à 15 jours de fermentation secondaire dans la cruche, soutirer le vin nouveau afin d'éliminer l'épais dépôt de levures et de débris végétaux accumulé au fond de la cruche; on évite ainsi le risque de voir se développer dans le moût de mauvaises odeurs dues à l'acide sulfhydrique.

13° CLARIFICATION (*facultatif*)

Ajouter 10 ml (2 c. à thé) de bentonite lors de ce premier soutirage.

14° SECOND SOUTIRAGE

Après 3 ou 4 semaines, lorsque la fermentation est terminée, soutirer à nouveau. La densité devrait être à environ 0,995.

Ajouter 1 ml (1/4 de c. à thé) de métabisulfite de potassium ou 2 comprimés Campden.

15° EXPOSITION AU FROID (*facultatif*)

Si possible, afin d'accélérer la clarification, placer le vin à l'extérieur durant une période de 3 semaines environ à une température proche du point de congélation.

16° TROISIÈME SOUTIRAGE

Après 4 mois, soutirer à nouveau.

Ajouter 1 ml (1/4 de c. à thé) de métabisulfite de potassium ou 2 comprimés Campden.

17° CLARIFICATION (*facultatif*)

Le vin devrait s'être clarifié de lui-même après quelques mois; s'il ne l'est pas, utiliser un produit clarifiant; le Sparkolloïd donne de bons résultats avec les vins rouges. À ce stade, on peut filtrer le vin si on le désire plutôt que d'utiliser un produit clarifiant.

18° EMBOUTEILLAGE

Laisser la maturation se poursuivre en cruche durant 4 mois après le troisième soutirage, puis embouteiller. Cependant on peut laisser vieillir le vin en cruche plus longtemps, si on le désire.

Suivre les **Instructions pour l'embouteillage** données à la fin du chapitre VII.

5. LA VINIFICATION EN BLANC

Pour la vinification en blanc, seul le jus obtenu après pressurage des raisins est mis à fermenter.

Comme les raisins sont pressurés immédiatement après avoir été foulés, il n'est pas nécessaire d'en enlever les rafles, car elles n'auront pas le temps de communiquer leur goût au moût. Cependant, si on désire préparer une piquette ou une seconde cuvée avec la pulpe des raisins pressurés, il faut dans ce cas les éliminer.

On peut utiliser des raisins blancs ou noirs. Avec des raisins noirs, le jus doit être séparé des raisins écrasés immédiatement après le foulage, pour éviter que les matières colorantes contenues dans les peaux s'en échappent et se mélangent au jus. Le pressurage doit être léger ou carrément omis. Des raisins trop mûrs, attaqués par les moisissures ou qui ont déjà commencé à fermenter donneront nécessairement un jus rosé; c'est souvent le cas de raisins qui ont subi une longue période de transport. Il est donc préférable de choisir des raisins blancs, quoique les cépages blancs soient plus rares sur le marché.

Avant d'ajouter les levures, on procède habituellement au débourbage, opération qui consiste à laisser le jus au repos durant 24 heures, après y avoir ajouté une dose de métabisulfite suffisante pour empêcher l'oxydation et retarder le départ de la fermentation. Au cours de ces 24 heures, les matières en suspension, ou bourbes, contenues dans le jus fraîchement pressuré, vont se déposer au fond de la cruche et seront ensuite éliminées par soutirage, avant de procéder à l'addition des levures. Les bourbes constituées de débris provenant de la pulpe et des peaux de raisins, sont susceptibles de donner au vin blanc un goût herbacé peu agréable.

Pour les vins blancs, la fermentation principale se déroulera dans un contenant fermé, car ils sont très sensibles à l'oxydation.

Les vins blancs devront fermenter à basse température, entre 13 et 20°C (55 et 68°F). Une fermentation au frais préserve l'arôme et la saveur de ces vins ; cependant, la durée de la fermentation sera plus lente à température basse.

Il est plus difficile de faire un vin blanc qu'un vin rouge. L'amateur se heurtera aux obstacles suivants :

— rareté relative des cépages blancs de bonne qualité ;

— pressurage difficile : comme les raisins sont pressurés avant la fermentation, il est plus difficile d'en extraire le jus et un pressoir de bonne qualité se révèle indispensable ;

— nécessité du débourbage ;

— températures de fermentation plus basses (parfois difficiles à obtenir) et, par conséquent, fermentation plus lente.

Pour ces raisons, beaucoup d'amateurs produisent leur vin rouge à partir de raisin et leur vin blanc à partir de concentré. Ce choix se justifie d'autant mieux que les concentrés pour vin blanc donnent habituellement de meilleurs résultats que les concentrés pour vin rouge. En effet, comme la période de macération nécessaire aux vins rouges est omise et remplacée par une brève période de chauffage lors de la fabrication des concentrés pour vins rouges, cela ne donne pas d'aussi bons résultats.

RECETTE TYPE N° 9

Vin blanc à base de raisin

Cette recette requiert 2 caisses de raisins de 16 kilogrammes (36 livres) chacune, soit 32 kilogrammes (72 livres) de raisins, et donnera 20 litres (4,4 gallons) de vin.

1° ÉRAFLAGE

Érafler les grappes de raisins. Ne pas laisser plus de 10% des rafles.

Enlever les grappes moisies ou pourries.

2° FOULAGE

Fouler les raisins. Écraser tous les grains de raisins sans toutefois broyer les pépins ni déchiqueter les peaux.

Dissoudre 5 ml (1 c. à thé) de vitamine C dans 500 ml (2 tasses) d'eau et ajouter aux raisins écrasés au fur et à mesure du foulage, afin de prévenir l'oxydation; ceci est particulièrement important dans le cas des vins blancs qui sont plus sensibles à l'oxydation.

3° PECTINASE

Ajouter 5 ml (1 c. à thé) de pectinase, si vous employez des raisins blancs. L'action de la pectinase augmentera la quantité de jus produit par les raisins lors du pressurage.

Reporter l'addition de pectinase après le pressurage (après l'étape 4) si vous utilisez des raisins noirs. L'addition de pectinase à ce moment-ci aurait pour effet d'extraire les pigments colorés des peaux de raisins et de colorer le vin blanc.

4° PRESSURAGE

Placer un sac en nylon dans le pressoir; y verser les raisins écrasés. Une partie du jus s'égouttera d'elle-même. Lorsque le sac en nylon est empli aux deux tiers, tordre le haut laissé libre et pressurer les raisins écrasés, puis émietter le marc et pressurer à nouveau.

Si vous désirez fabriquer une piquette, vous devez garder les raisins pressurés et suivre les instructions données à la recette type n° 11.

Verser le jus obtenu dans une cruche fermée par une bonde aseptique.

5° STÉRILISATION DU MOÛT

Dissoudre 2 ml (1/2 c. à thé) de métabisulfite de potassium dans 250 ml (1 tasse) d'eau et ajouter au jus. Cette dose équivaut à 4 comprimés Campden.

6° DÉBOURBAGE

Laisser le jus reposer durant 24 heures, au froid si possible, puis soutirer de façon à éliminer les bourbes.

Ajouter au jus 10 ml (2 c. à thé) de bentonite, lors du soutirage.

Ne pas emplir la cruche complètement pour éviter qu'elle ne déborde.

7° TENEUR EN SUCRE (*facultatif*)

Mesurer la densité du moût et ajuster à 1,090 ou moins selon le type de vin désiré, soit par addition de sucre, soit par addition d'eau.

8° ACIDITÉ (*facultatif*)

Mesurer l'acidité totale du moût et ajuster s'il y a lieu à 7,5 grammes par litre (0,75%) par addition d'acide tartrique.

9° ADDITION DES LEVURES

Ajouter un sachet de levure ou mieux un levain préparé 2 ou 3 jours à l'avance.

La température, lors de l'addition des levures, devrait être à environ 20 °C (68 °F) pour favoriser le départ rapide de la fermentation. Mais une fois celle-ci amorcée, il est préférable de maintenir le moût entre 15 et 20 °C, (59 et 68 °F), durant toute la durée de la fermentation, si possible.

La fermentation devrait commencer en deçà de 24 heures.

10° FERMENTATIONS PRINCIPALE ET SECONDAIRE

Laisser la fermentation se poursuivre durant deux semaines environ ou jusqu'à ce que la densité atteigne 1,010. La durée de la fermentation sera plus longue à basse température.

Si la lie formée au fond de la cruche est peu abondante et ne semble pas contenir beaucoup de débris végétaux, ce qui sera le cas si le débourbage a été efficace, laisser la fermentation se poursuivre jusqu'à la fin sans transvaser le vin. Dans le cas contraire, transvaser le vin dans une autre cruche pour éliminer le dépôt.

11° PREMIER SOUTIRAGE

Trois ou quatre semaines après la fin de la fermentation, soutirer le vin. La densité devrait être environ à 0,995.

Ajouter 1 ml (1/4 de c. à thé) de métabisulfite de potassium ou 2 comprimés Campden.

12° EXPOSITION AU FROID (*facultatif*)

Si possible, afin d'accélérer la clarification, placer le vin à l'extérieur durant une période de 3 semaines environ à une température proche du point de congélation.

13° DEUXIÈME SOUTIRAGE

Après 4 mois, soutirer et ajouter 1 ml (1/4 de c. à thé) de métabisulfite de potassium ou 2 comprimés Campden.

14° CLARIFICATION (*facultatif*)

À ce stade, le vin devrait être bien clarifié. Si ce n'est pas le cas, utiliser un produit clarifiant. L'ichtyocolle convient bien pour les vins blancs.

Plutôt que d'employer un produit clarifiant, on peut filtrer le vin.

15° EMBOUTEILLAGE

Laisser la maturation se poursuivre en cruche durant 4 mois, puis embouteiller. On peut cependant laisser vieillir le vin en cruche plus longtemps, si on le désire.

Suivre les **Instructions pour l'embouteillage** données à la fin du chapitre VII.

6. LA VINIFICATION EN ROSÉ

Il existe deux méthodes de vinification des rosés. Ces vins peuvent être vinifiés soit comme des vins rouges, soit comme des vins blancs. Les caractéristiques du rosé obtenu en dépendront et, selon la méthode utilisée, ce vin s'apparentera à un vin rouge léger ou à un vin blanc.

Vin rosé vinifié comme un vin rouge

La première méthode est semblable en tout point à la vinification en rouge, si ce n'est de la période de macération beaucoup plus courte dont la durée sera déterminée par inspection visuelle d'échantillons de vin prélevés à intervalles réguliers dans un verre à dégustation. Lorsque la couleur désirée est atteinte, on sépare le vin des raisins écrasés. À noter que la couleur du vin obtenu sera un peu plus pâle que la couleur du moût qui va s'atténuer au cours de la fermentation. Pour la suite de la fermentation, on procède comme pour un vin rouge et l'on suit les indications de la recette type n° 8.

Le rosé ainsi produit sera assez coloré et aura des caractéristiques semblables à celles d'un vin rouge léger.

Vin rosé vinifié comme un vin blanc

La seconde méthode est semblable à la vinification en blanc avec des raisins noirs ; on suivra donc la recette type n° 9.

Il n'est plus nécessaire, ici, de prendre des précautions pour éviter la coloration du moût. On peut ajouter de la pectinase lors du foulage, utiliser des raisins très mûrs et pressurer les raisins écrasés. Il sera parfois nécessaire de laisser reposer les raisins quelques heures après le foulage pour obtenir une couleur assez soutenue.

Le débourbage peut être supprimé dans le cas d'un vin rosé.

7. PIQUETTE OU SECONDE CUVÉE

La piquette est un vin léger obtenu par fermentation du marc de raisin auxquels on ajoute de l'eau, du sucre, des acides organiques et du tanin. L'addition de divers ingrédients au marc, et non seulement d'eau comme dans certaines recettes, donne un vin bien équilibré ayant une teneur en alcool, une acidité et une astringence adéquates. Fabriquer une piquette ou une seconde cuvée de vin en se servant des mêmes raisins permet de doubler la quantité de vin obtenue à partir d'une caisse de raisins.

Dans l'industrie, des pressoirs très puissants permettent d'extraire la totalité du jus contenu dans la pulpe des raisins. Les pressoirs manuels utilisés par les amateurs ne peuvent pressurer le raisin avec autant de force, de sorte que les raisins renferment encore une certaine quantité de jus après le pressurage. C'est surtout le cas des raisins qui sont pressurés avant fermentation pour en faire des vins blancs.

Si vous avez fait un vin rouge, utilisez le marc des raisins déjà fermentés et non pressurés pour faire une piquette rouge. Si vous avez fait un vin blanc, utilisez le marc des raisins pressurés mais non fermentés pour faire une piquette qui sera, elle, blanche ou rouge, selon la couleur des raisins utilisés.

RECETTE TYPE N° 10
Piquette rouge

Cette recette utilise comme ingrédient de base le marc des raisins rouges fermentés mais non pressurés qui ont servi à faire un vin rouge. Si l'on pressure la pulpe, le vin de seconde cuvée sera trop mince, mais autrement on obtient un vin léger prêt à boire rapidement. Ce vin peut aussi tenir lieu de vin de coupage.

On ajoute aux raisins écrasés déjà fermentés un mélange d'eau, de sucre et de divers autres ingrédients dans des proportions prédéterminées, afin de compenser pour les éléments demeurés dans le vin nouveau qui a été soutiré.

En ce qui a trait à l'addition de sucre, il faut savoir que les mesures de densité prélevées sur un échantillon du nouveau moût ne donneront pas une indication exacte de la quantité de sucre à ajouter, car le vin et la pulpe qui servent de base à la seconde cuvée contiennent de l'alcool. La présence de cet alcool a pour effet de diminuer la valeur des lectures de densité initiale pour le nouveau moût. Le mélange ajouté a une densité d'environ 1,070, mais le nouveau moût formé de ce mélange et de vin contenant de l'alcool aura une densité plus basse, par suite de la présence d'alcool. Si l'on se fie à la densité du nouveau moût pour déterminer la quantité de sucre à ajouter, on en mettra trop et la teneur en alcool sera trop élevée. J'ai fait quelques piquettes très fortes en alcool avant de m'apercevoir de ce détail!

Enfin, il est inutile d'ajouter des levures, car le marc en contient déjà.

1° INGRÉDIENT DE BASE

Cette recette utilise comme ingrédient de base la pulpe et les peaux de raisins rouges, fermentés et non pressurés, obtenue à l'étape 10 de la recette type n° 8.

2° AUTRES INGRÉDIENTS ET ADDITIFS

Ajouter au marc une quantité d'eau égale à la quantité de vin retiré. Pour chaque litre d'eau ajouté au marc, ajouter aussi :

Sucre	200 ml
Acide tartrique	4 ml
Éléments nutritifs pour levures	1 ml
Tanin	0,25 ml

Si l'on utilise le système impérial, pour chaque gallon d'eau ajouté au marc, il faut ajouter aussi :

Sucre	4 tasses
Acide tartrique	3 c. à thé
Éléments nutritifs pour levures	1 c. à thé
Tanin	1/4 c. à thé

3° FERMENTATION PRINCIPALE

Laisser la fermentation principale se poursuivre durant 5 à 7 jours.

Enfoncer le chapeau dans le moût au moins deux fois par jour.

4° DÉCUVAGE ET PRESSURAGE

Lorsque la densité atteint 1,010 ou 10°, procéder au décuvage.

Séparer le vin nouveau des raisins écrasés par soutirage.

Pressurer les raisins écrasés pour en extraire le plus de vin possible.

5° FERMENTATION SECONDAIRE, MATURATION ET EMBOUTEILLAGE

Suivre les indications données à la recette type n° 8, de l'étape 11 jusqu'à la fin.

RECETTE TYPE N° 11

Piquette rouge ou blanche

Cette recette utilise comme point de départ le marc des raisins pressurés mais non fermentés dont on a extrait le jus pour faire un vin blanc. Ici encore, on remplace le jus soutiré par un mélange d'eau, de sucre, d'acides organiques, de tanin et d'éléments nutritifs pour levures. On peut se fier au densimètre pour déterminer la quantité de sucre à ajouter, car le marc, étant non fermenté, ne contient pas d'alcool.

Il faut aussi ajouter des levures et du métabisulfite, car les raisins pressurés utilisés au début n'en contiennent pas, contrairement à la recette précédente.

1° INGRÉDIENT DE BASE
Cette recette utilise comme ingrédient de base des raisins blancs ou noirs, pressurés mais non fermentés, obtenus lors de l'étape 4 de la recette type n° 9.

2° AUTRES INGRÉDIENTS ET ADDITIFS
Suivre les indications données à l'étape 2 de la recette type n° 10.

3° STÉRILISATION DU MOÛT
Dissoudre 2 ml (1/2 c. à thé) de métabisulfite de potassium dans 250 ml (1 tasse) d'eau et ajouter au moût. Cette dose équivaut à 4 comprimés Campden.

4° PECTINASE (facultatif)
Ajouter 5 ml (1 c. à thé) de pectinase.

5° ADDITION DES LEVURES
Ajouter un sachet de levure ou mieux un levain préparé 2 ou 3 jours à l'avance.

185

Recouvrir le seau contenant le moût d'une feuille de plastique.

La fermentation devrait commencer en deçà de 24 heures.

6° FERMENTATION PRINCIPALE

Enfoncer le chapeau dans le moût au moins deux fois par jour.

Pour un vin blanc, laisser la fermentation principale se poursuivre durant 3 à 5 jours. Lorsque la densité atteint 1,030 ou 30°, procéder au décuvage.

Pour un vin rouge, laisser la fermentation principale se poursuivre durant 5 à 7 jours. Lorsque la densité atteint 1,010 ou 10°, procéder au décuvage.

7° DÉCUVAGE ET PRESSURAGE

Séparer par soutirage le vin nouveau des raisins écrasés.

Pressurer les raisins écrasés pour en extraire le plus de vin possible.

8° FERMENTATION SECONDAIRE, MATURATION ET EMBOUTEILLAGE

Suivre les indications données à la recette type n° 8, de l'étape 11 jusqu'à la fin.

GLOSSAIRE

Acide acétique

— Acide organique formé lors de la fermentation alcoolique et présent en très faible quantité dans le vin.

— Acide présent en grande quantité dans le vinaigre.

— Certaines bactéries ont la propriété de transformer l'alcool présent dans un vin en acide acétique.

Acide ascorbique

— Vitamine C.

— L'acide ascorbique est un antioxydant; ajouté au moût ou au vin, il en empêche l'oxydation.

Acide citrique

— Acide organique naturel présent en faible quantité dans le raisin.

— L'acide citrique se trouve principalement dans les agrumes (oranges, citrons, pamplemousses).

— En raison de son faible coût, il est utilisé pour ajuster l'acidité du moût avant la fermentation, bien

187

que les acides tartrique et malique soient habituellement préférables à cette fin.

— Il a l'inconvénient d'être transformé en acide acétique lors de la fermentation malolactique.

Acide lactique

— Acide organique formé en partie lors de la fermentation alcoolique par les levures et en partie lors de la fermentation malolactique par les bactéries malolactiques.

Acide malique

— Acide organique naturel présent dans certains fruits, le raisin et les pommes en particulier.

— On le retrouve dans le vin après la fermentation.

— Utilisé pour ajuster l'acidité du moût avant la fermentation.

Acide succinique

— Acide organique formé lors de la fermentation alcoolique.

Acide sulfhydrique

— Gaz qui a une odeur caractéristique d'oeufs pourris.

— Appelé aussi hydrogène sulfuré ou sulfure d'hydrogène.

— Des soutirages réguliers préviennent sa formation.

— S'il s'en forme, il peut être éliminé en aérant le vin lors des soutirages.

Acide tartrique

— Acide organique naturel présent dans le raisin.

— Peu affecté lors de la fermentation alcoolique, il se retrouve dans le vin.

— Utilisé pour ajuster l'acidité du moût avant la fermentation.

Acidité totale

— Acidité du moût due à l'ensemble des acides organiques présents.

— L'acidité totale est exprimée en équivalent d'acide tartrique, c'est-à-dire que l'acidité mesurée qui est due à la présence simultanée de plusieurs acides organiques différents est exprimée comme si elle était due à la seule présence d'acide tartrique.

Additif

— Substance ajoutée au vin pour des raisons de fabrication ou de conservation.

— Mentionnons en particulier les produits anti-oxydants, les produits stérilisants, les produits clarifiants et les éléments nutritifs pour les levures.

— Les additifs ne sont pas à proprement parler des ingrédients.

Aérobie

— Se dit d'un microorganisme qui ne peut vivre dans un milieu privé d'air, en particulier d'oxygène.

Alcool éthylique

— Alcool contenu dans la bière et le vin.

— Produit par les levures lors de la fermentation.

Anaérobie

— Se dit d'un microorganisme qui peut vivre sans air et, plus particulièrement, sans oxygène.

Anhydride sulfureux

— Gaz antiseptique utilisé pour stériliser les moûts.

— Lorsqu'on ajoute du métabisulfite de potassium à un moût, il y a production d'anhydride sulfureux; c'est ce gaz qui est responsable de l'action antiseptique du métabisulfite.

— Les levures à vin sont résistantes à l'anhydride sulfureux, alors que les levures sauvages sont détruites.

Antioxydant
— Toute substance ajoutée au vin pour en empêcher l'oxydation et, ce faisant, en préserver l'arôme, la couleur et la saveur.

Antiseptique
— Propriété qu'ont certaines substances de détruire les bactéries et les moisissures.

— Le métabisulfite de potassium est un antiseptique.

Arôme
— Odeur des vins jeunes, par opposition au bouquet qui se développe lors du vieillissement.

— L'arôme primaire provient du raisin, alors que l'arôme secondaire a pour origine des substances odorantes qui se sont développées lors de la fermentation.

Astringence
— Caractéristique d'un vin due à la présence de tanin.

— Le tanin provoque une contraction des muqueuses de la bouche.

Atténuation
— Différence entre la densité initiale et la densité finale d'un vin.

— L'atténuation est une mesure de la quantité de sucre transformée en alcool par les levures et elle permet de calculer la teneur en alcool.

Autolyse
— Décomposition des cellules de levures mortes.

— Une autolyse prononcée donne mauvais goût au vin. Le soutirage permet d'éliminer les levures mortes et préserve ainsi la saveur du vin.

Balling
— L'échelle Balling ou Brix est utilisée pour mesurer la quantité de sucre dans un moût.

— Le degré Balling et le degré Brix équivalent à 1% de sucre en poids.

Bentonite

— Produit clarifiant utilisé avec les vins blancs ou rouges.

— La bentonite est une sorte d'argile.

Bisulfite de potassium ou de sodium

Voir **Métabisulfite de potassium** ou **de sodium**.

Bitartrate de potassium

— Sel de l'acide tartrique.

— On trouve parfois du bitartrate de potassium dans les cuves de fermentation et dans le vin embouteillé. Il a l'apparence de cristaux transparents très durs.

— Sa présence est due au fait que le moût de jus de raisins utilisé contenait beaucoup d'acide tartrique à l'origine; il n'affecte nullement la qualité du vin.

Bonde aseptique

— Soupape utilisée lors de la fermentation.

— Dispositif qui, fixé sur une cruche contenant un moût en fermentation, permet au gaz carbonique de s'échapper tout en empêchant les microorganismes d'y pénétrer.

— Appelée aussi: soupape de fermentation.

Bourbes

— Débris végétaux provenant des raisins foulés.

Voir **Débourbage**.

Brix

Voir **Balling**.

Campden (comprimé)

— Marque de commerce des comprimés de métabisulfite de potassium ou de sodium.

— Un comprimé Campden contient 1/2 gramme de métabisulfite ou l'équivalent de 1/2 millilitre de métabisulfite en poudre.

Cépage

— Variété de vigne.

— Chaque espèce de vigne comporte de nombreuses variétés de raisins ou cépages.

Chapeau

— Couche épaisse, composée des débris des raisins foulés, qui se forme à la surface des moûts durant la fermentation principale.

Chaptalisation

— Addition de sucre à un moût qui n'en contient pas assez.

— La quantité de sucre à ajouter est obtenue en mesurant la densité du moût.

Collage

— Opération qui consiste à ajouter à un vin trouble un produit clarifiant afin de le clarifier et de le stabiliser.

— Les produits clarifiants sont communément désignés sous le nom de colles.

Colle

— Produit clarifiant qui ajouté au vin, entraîne les substances en suspension dans le vin au fond de la cuve, avec la lie.

Concentré

— Les concentrés de jus de raisin sont obtenus par évaporation sous pression réduite de l'eau contenue dans le jus de raisin.

— Les concentrés ont la forme d'un sirop très épais.

— Pour reconstituer le jus de raisin, il suffit d'ajouter de l'eau au concentré.

Coupage

— Opération qui consiste à mélanger des vins dotés de caractéristiques différentes.

— On dit aussi : assemblage.

Cristal

— Variété de verre (verre au plomb) plus transparent et plus lourd que le verre ordinaire.

— Les verres à vin employés pour la dégustation devraient être en cristal.

Débourbage

— Étape de la vinification en blanc précédant la fermentation principale, au cours de laquelle les bourbes ou débris végétaux contenues dans le jus des raisins pressurés vont se déposer au fond du récipient, avant d'être éliminées par soutirage.

Décuvage

— Opération au cours de laquelle le vin contenu dans la cuve de fermentation principale est transféré dans la cuve de fermentation secondaire et séparé du marc.

Densimètre

— Instrument de mesure de la densité d'un liquide ; ici un moût de raisins ou un vin.

Densité finale

— Densité du vin mesurée à la fin de la fermentation.

Densité initiale

— Densité d'un vin avant le début de la fermentation. C'est la densité du moût qui sera, plus tard, fermenté par les levures.

Doux

— Se dit d'un vin qui contient du sucre. Un vin dont la teneur en sucre est d'environ 2% ou 3% est un vin semi-doux et un vin dont la teneur en sucre est de 6% ou plus est un vin doux.

Enzymes

— Substances organiques capables d'effectuer certaines transformations biochimiques.

— L'enzyme le plus utilisé pour la fabrication du vin est la pectinase.
Voir **Pectinase**.

Équivalent d'acide tartrique
Voir **Acidité totale**.

Éraflage
— Opération qui consiste à enlever les rafles.
— On dit aussi : égrappage.

Extrait de levures
— Substances extraites de levures mortes et utilisées comme éléments nutritifs pour les levures.

Fermentation
— Processus biologique au cours duquel les levures transforment le sucre en alcool et en gaz carbonique.
— La fermentation se divise en deux phases : la fermentation principale et la fermentation secondaire.

Filtrage
— Opération qui consiste à faire passer le vin à travers un filtre ou une couche de substance filtrante.
— Le filtrage élimine les particules en suspension et clarifie le vin.

Foulage
— Opération qui consiste à écraser les grains de raisin afin d'en extraire le jus.

Fouloir
— Instrument servant à écraser les raisins.
— Formé de deux rouleaux dentés ou cannelés que l'on fait tourner à l'aide d'une manivelle et entre lesquels les raisins sont écrasés.

Gaz carbonique
— Gaz formé par les levures lors de la fermentation.

— Il provoque l'effervescence des vins pétillants et de la bière.

Gélatine
— Substance d'origine animale parfois ajoutée au vin à titre de produit clarifiant.

Glycérine ou glycérol
— Alcool supérieur formé lors de la fermentation.

— La glycérine est un liquide sirupeux. Sa présence donne du moelleux au vin.

Hybride
— Variété de raisin ou cépage obtenue par croisement.

— Habituellement, il s'agit de croisement entre une variété de *Vitis vinifera* (vigne européenne) et une variété de *Vitis labrusca* (vigne américaine).

Ichtyocolle
— Agent de clarification surtout utilisé avec les vins blancs.

— En anglais : *isinglass*.

Isinglass
Voir *Ichtyocolle*.

Levain
— Petite quantité de moût en fermentation utilisée pour ensemencer un moût de raisins.

— L'emploi d'un levain préparé à l'avance, plutôt que de levures séchées, accélère le départ de la fermentation.

Levure
— Champignon microscopique qui a la propriété de transformer le sucre en alcool et en gaz carbonique.

Lie

— Dépôt qui se forme au fond des cuves de fermentation.

— La lie est surtout formée de levures et de divers débris végétaux qui vont se déposer au fond du récipient après la fermentation.

Malolactique

— Fermentation différente de la fermentation alcoolique, au cours de laquelle l'acide malique contenu dans le vin est transformé en acide lactique sous l'action de bactéries.

Marc

— Résidu obtenu après pressurage des raisins.

— Composé de la peau, de la pulpe, des pépins et des rafles de la grappe de raisin.

Maturation

— Étape de la fabrication du vin qui suit la fermentation secondaire.

— Période au cours de laquelle le vin se clarifie pendant que son goût s'affine.

Métabisulfite de potassium

— Produit chimique utilisé comme antiseptique et antioxydant.

— Sert à stériliser le moût et le matériel utilisé.

— Empêche l'oxydation du vin et préserve ainsi sa saveur et sa fraîcheur.

Métabisulfite de sodium

— Usages et propriétés identiques au métabisulfite de potassium.

Voir **Métabisulfite de potassium**.

Moût

— Nom donné au jus de raisin ou aux raisins écrasés qui fermenteront sous l'action des levures pour donner du vin.

Oenologie
— Étude des techniques de fabrication et de conservation des vins.

Oenologue
— Scientifique spécialisé dans l'étude du vin.
— Les œnologues sont habituellement des chimistes, des biologistes ou des biochimistes versés dans les techniques de fabrication et de conservation des vins.

Oenophile
— Amateur éclairé de vin.

Organoleptique
— Se dit de l'ensemble des sensations (visuelles, olfactives, gustatives et tactiles) perçues lors de la dégustation d'un vin.
— Les qualités organoleptiques d'un vin se perçoivent à la dégustation.

Oxydation
— Réaction chimique se produisant lorsque le vin entre en contact avec l'oxygène de l'air. Une trop grande oxydation est néfaste pour le vin.
— Les vins blancs trop oxydés brunissent et les vins rouges prennent une teinte ocre; tous deux perdent leur bouquet et leur saveur devient fade.

Ouillage
— Opération qui consiste à ajouter du vin après un soutirage de façon à garder les cruches toujours pleines.
— L'ouillage a pour effet de diminuer la quantité d'air présente dans les cruches et de prévenir ainsi l'oxydation.

Pectinase
— Enzyme utilisé pour dégrader la pectine et, ce faisant, clarifier le vin.

Pectine
— La pectine est une substance contenue dans certains fruits.
— Présente dans le vin, elle l'empêche de se clarifier.

Phosphate diammonique
— Sel minéral nécessaire au développement des levures; c'est un aliment essentiel des levures.
— Appelé aussi phosphate d'ammonium.

Piquette
— Vin léger obtenu par fermentation des marcs de raisins auxquels on a rajouté de l'eau, du sucre, des acides organiques et des éléments nutritifs destinés aux levures.

Pressurage
— Opération au cours de laquelle les raisins écrasés sont pressés afin d'en extraire soit le jus, si le pressurage a lieu avant la fermentation (vins blancs), soit le vin, si le pressurage a lieu après la fin de la fermentation (vins rouges).

Rafle
— Tige ligneuse de la grappe de raisin.

Sec
— Se dit d'un vin qui contient peu ou pas de sucre.
— Un vin sec contient habituellement moins de 1% de sucre non fermenté.

Sorbate de potassium
— Additif utilisé comme produit stabilisant.
— Ajouté au vin lors de l'embouteillage, il empêche une reprise de la fermentation.

Soupape de fermentation
— Dispositif qui, fixé sur une cruche contenant un moût en fermentation, permet au gaz carbonique

de s'échapper tout en empêchant les microorganismes d'y pénétrer.
— Appelée aussi : bonde aseptique ou bonde.

Soutirage
— Opération qui consiste à transvaser le vin d'un contenant à l'autre afin d'éliminer la lie qui s'est déposée au fond du contenant.

Sucre de canne
— Sucre extrait de la canne à sucre. C'est le sucre vendu habituellement sur le marché.
— Appelé saccharose (nom scientifique), c'est le plus répandu des sucres ; les sucres de betterave, de canne, d'érable sont également des saccharoses.

Tanin ou tannin
— Le tanin ou acide tannique est une substance d'origine végétale que l'on retrouve dans le raisin.
— Le tanin a un goût amer et est responsable de l'astringence des vins rouges.
— Le contenu en tanin des rafles est de 3 %, celui des pépins de 7 % et celui des peaux de raisins de 1 à 2 %.

Tartrate de calcium
— Sel de l'acide tartrique.
— Le tartrate de calcium se trouve parfois dans les cuves de fermentation et dans le vin déjà embouteillé. Il se présente sous la forme de cristaux transparents très durs.
— Sa présence est due au fait que le moût de jus de raisin utilisé contenait à l'origine beaucoup d'acide tartrique et n'affecte en rien la qualité du vin.

Thiamine
— Vitamine B1.
— Élément nutritif indispensable aux levures.

Varietal wine

— Appellation donnée à certains vins de Californie dans la composition duquel un même cépage entre pour plus de 75% et dans lequel on retrouve le goût et l'arôme de ce cépage.

Vieillissement

— Étape de la fabrication du vin qui suit la maturation.

— Lors du vieillissement, des transformations biologiques et chimiques très lentes et à peine perceptibles se poursuivent.

— Pour les vins de concentré, une période de vieillissement de 6 mois est habituellement suffisante; pour les vins de raisins, le vieillissement peut aller jusqu'à 2 ans.

Vif

— Vin dont l'acidité est élevée, sans toutefois être désagréable.

Vinification

— Processus de fabrication du vin.

— On parle de vinification en blanc ou de vinification en rouge selon qu'il s'agit de la fabrication de vin blanc ou de vin rouge.

Vitamine B1

Voir **Thiamine**.

Vitamine C

Voir **Acide ascorbique**.

Vitis labrusca

— Nom scientifique donné à la principale espèce de vigne américaine indigène.

— Les variétés de raisins appartenant à cette espèce conviennent assez peu à la production de vin.

Vitis rotundifolia

— Nom scientifique donné à l'une des espèces de vigne américaine indigène.

— Les variétés de raisins appartenant à cette espèce conviennent peu à la production de vin.

Vitis vinifera

— Nom scientifique donné à la vigne européenne.

— Espèce de vigne produisant le raisin utilisé pour faire du vin.

— La vigne d'origine européenne ou *Vitis vinifera* est cultivée de nos jours non seulement en Europe, mais dans diverses régions du monde, en particulier en Californie.

FICHE DE DÉGUSTATION

Lorsqu'on déguste un vin, il est utile de prendre des notes, afin de pouvoir le comparer plus tard à un autre, ou encore comparer le même vin à six mois ou un an d'intervalle. Pour ce faire, je vous suggère d'utiliser une fiche de dégustation. Cette formule permet :
- de n'oublier aucun des points à évaluer ;
- de consigner ses observations par écrit ;
- de porter un jugement global sur le vin en se servant d'un système de points.

Après avoir essayé plusieurs types de fiche, j'ai opté pour la fiche de dégustation ci-contre empruntée à la revue *Vins & vignes,* livraison du printemps 1986.

FICHE DE DÉGUSTATION

NOM _____ MILLÉSIME _____

PRODUCTEUR _____ PRIX _____ DATE _____

VISUEL

LIMPIDITÉ		brillant, limpide, flou, terne, trouble	REMARQUES
VIN BLANC	C O U L E U R	pâle avec reflets verts ou jaunes, jaune pâle, doré, paille, jaune foncé, ambre, brun	
VIN ROSÉ		pâle, rose clair, rose foncé, orange, pelure d'oignon	
VIN ROUGE		rouge avec reflets violacés, rouge cerise, rubis, grenat, tuile, brique, brun	
OPACITÉ		opaque, très foncée, foncée, moyenne, pâle	
VIN MOUSSEUX	MOUSSE	persistante, abondante, moyenne, faible, absente	**/2**
	BULLES	très fines, fines, moyennes, grosses	

OLFACTIF

INTENSITÉ			puissant, intense, suffisant, faible, inexistant				REMARQUES
QUALITÉ			très fin, complexe, racé, distingué, fin, agréable, simple, rustique, désagréable				
	CÉPAGE		non identifiable, identifiable				
CARACTÈRE	FLORAL	VÉGÉTAL	FRUITS	ÉPICES	TORRÉFACTION	DÉFAUTS	AUTRES
	rose violette fleurs sauvages aubépine miel pivoine etc.	herbe foin cèdre mousse champignon olive levure boisé boisé etc.	framboise fraise cassis pomme poire ananas abricot amande noisette pruneau citron litchi etc.	poivre cannelle muscade thym menthe truffe réglisse girofle vanille etc.	tabac café cacao caramel cuir goudron pain grillé etc.	bouchon soufre vinaigre acétone madérisé etc.	

/6

GUSTATIF

DOUCEUR	très sec, sec, doux, moelleux, liquoreux	REMARQUES
ACIDITÉ	acide, vert, mordant, vif, frais, coulant, plat, mou	
TANIN	astringent, dur, ferme, souple, mou	
CORPS	puissant, corsé, plein, léger, maigre	
INTENSITÉ ET QUALITÉ DES SAVEURS	puissante, bonne, moyenne, faible / très fines, élégantes, plaisantes, rustiques	
TEXTURE	rugueux, charnu, étoffé, gras, rond, soyeux, souple, léger, mince, décharné	
ÉQUILIBRE	harmonieux, équilibré, correct, anguleux, déséquilibré	
PERSISTANCE	très longue, longue, bonne, moyenne, courte	**/8**

CONCLUSION

caractère, avenir et conseils éventuels _____

/4

VINS & VIGNES

TOTAL _____ **/20**

INDEX

Notes

Notes

Notes

Notes

Notes

Notes

Notes

Achevé d'imprimer
en décembre 1990
MARQUIS
Montmagny, QC